Un médecin dans votre cuisine

François Melançon, MD

Un médecin dans votre cuisine

La santé et la longévité par la nutrition

Guy Saint-Jean
ÉDITEUR

Données de catalogage avant publication (Canada)

Melançon, François, 1959-
Un médecin dans votre cuisine
Comprend des réf. bibliogr.
ISBN 2-89455-112-6
1. Nutrition. 2. Santé - Aspect nutritionnel. 3. Organismes génétiquement modifiés.
4. Aliments - Contamination. 5. Aliments - Industrie et commerce - Aspect sanitaire. I. Titre.
RA784.M44 2001 613.2 C2001-940699-1

Nous reconnaissons l'aide financière du gouvernement du Canada par l'entremise du Programme d'Aide au Développement de l'Industrie de l'Édition (PADIÉ) ainsi que celle de la SODEC pour nos activités d'édition.

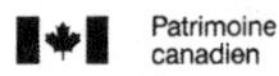

Gouvernement du Québec – Programme de crédit d'impôt pour l'édition de livres – Gestion SODEC.

Conception graphique : Christiane Séguin
Révision : Andrée Laprise

Dépôt légal 2e trimestre 2001
Bibliothèques nationales du Québec et du Canada
ISBN 2-89455-112-6

DISTRIBUTION ET DIFFUSION
Prologue, 1650, boul. Lionel-Bertrand, Boisbriand (Québec) Canada J7H 1N7.
(450) 434-0306.

GUY SAINT-JEAN ÉDITEUR INC.,
3172, boul. Industriel, Laval (Québec) Canada. H7L 4P7. (450) 663-1777.

GUY SAINT-JEAN ÉDITEUR FRANCE,
48, rue des Ponts, 78290 Croissy-sur-Seine, France. (1) 39.76.99.43.

Imprimé et relié au Canada

L'information fournie ici ne doit pas être utilisée pour remplacer une consultation médicale. L'autodiagnostic n'a jamais aidé personne. Ne prenez aucune action et n'arrêtez aucune médication simplement parce que vous avez lu ce livre. L'auteur encourage fortement les lecteurs à consulter leur médecin pour tout ce qui concerne leur santé. Les informations et les opinions exprimées ici sont basées sur des recherches médicales de pointe et l'auteur a tout mis en œuvre pour vérifier leur exactitude. Mais discutez toujours avec votre médecin des changements que vous désirez apporter à votre style de vie, de façon à pouvoir obtenir la supervision dont vous avez besoin.

Je dédie mon texte à mon épouse
Josée, pour sa patience devant
les nuits blanches que j'ai passées
devant l'ordinateur à rédiger ce livre.

Table des matières

« ... Nous avons atteint le point où les retours en arrière sont de moins en moins possibles. Nous demandons à la médecine d'inventer de nouvelles façons de traiter des problèmes que nous créons nous-mêmes par nos habitudes de vie... »

Dr David Suzuki, scientifique canadien de renommée internationale et vulgarisateur scientifique.

« Que ta nourriture soit ta première médecine. »

Hippocrate, père de la médecine, 460 à 377 avant Jésus-Christ.

Préface

Il y a quelque temps déjà, je recevais en consultation une dame qui, pour contrer ses maladies, avait décidé d'y sacrifier le plaisir de manger. En effet, elle avait éliminé son unique coupe de vin hebdomadaire pour enrayer ses problèmes d'acidité, les noix et les graines pour lutter contre son cholestérol, de même que les fruits et les légumes pour combattre son syndrome de l'intestin irritable. Cependant, elle n'hésitait pas à compenser ces privations par une forte consommation de pains et de féculents raffinés ce qui, au bout du compte, n'aidait nullement sa situation problématique. Cette dame était victime d'un manque flagrant de nuances quant à l'impact des aliments sur son état de santé.

L'importance de l'alimentation sur la santé a été longtemps minimisée. Mais, depuis quelques années, son influence sur notre bien-être physique est davantage reconnue. Les études concernant ses effets bénéfiques ou négatifs sont plus nombreuses qu'auparavant. Plusieurs diètes, régimes et modes alimentaires ont été proposés à la population. Parmi ceux-ci, plusieurs n'avaient pas de fondement scientifique, d'autres étaient trop restrictifs et draconiens ou encore, laissaient place à une mauvaise interprétation. Ces différentes théories alimentaires n'ont pas conduit à une amélioration marquée de la santé des gens. Les maladies cardiovasculaires sont encore la première cause de mortalité au Canada et plusieurs autres maladies sont en croissance fulgurante et inquiétante. En fait, l'intérêt grandissant de la population pour l'alimentation a été l'objet d'amateurisme et parfois de charlatanisme, tout en permettant aux industries alimentaires de s'enrichir à notre détriment. Même la supplémentation massive en vitamines et minéraux, qui nous promettait mer et monde, a échoué lamentablement. Ce que je constate dans ma pratique, c'est que les gens ne savent plus à quel saint se vouer en matière de nutrition équilibrée. De plus, esclaves de mythes alimentaires, ils ont perdu l'un des plus grands plaisirs de la vie, celui de manger. Pourtant, non loin de nous, sur les côtes de la Méditerranée, des gens jouissent d'une excellente santé tout en profitant des plaisirs de la table. Quel est donc leur secret ?

L'ouvrage Un médecin dans votre cuisine *répond magnifiquement à cette interrogation. Ce livre est une référence pour quiconque désire en savoir plus concernant l'impact de l'alimentation sur la santé. À partir d'une vaste revue de la littérature scientifique, François Melançon démontre avec une évidence éclatante comment, à partir des aliments, il est possible d'être maître de sa santé et de combattre la maladie sans se priver de la satisfaction de bien se nourrir. Fort d'une impressionnante expérience clinique en tant que médecin, l'auteur nous convoque également à une réflexion profonde sur d'autres enjeux majeurs, tels les OGM.*

Je n'ai pas hésité à rédiger la préface de ce livre qui concorde avec ma philosophie nutritionnelle. Il représente un vibrant hommage à la contribution de l'alimentation au maintien de la santé, sans pour autant se priver des plaisirs de la table.

Hélène Baribeau
diététiste-nutritionniste

Remerciements

Comment remercier tous ceux qui m'ont aidé dans la rédaction de ce volume ? Écrire un livre, c'est un peu comme en accoucher, et on voudrait remercier tous ceux qui nous ont supporté dans cette tâche, sans en oublier aucun.

Je peux certainement nommer mon épouse Josée et mes enfants Jessica et Sébastien, qui ont trop souvent eu à vivre avec un fantôme. Mais je dois aussi remercier mon beau-frère Daniel Brault, dont les commentaires très appropriés m'ont permis d'éviter le piège du jargon technique et m'ont permis d'organiser le texte de façon logique. Mon frère, Geoffroy, a révisé certains chapitres et ses commentaires ont été précieux. Je le remercie aussi pour avoir accepté, un peu à brûle-pourpoint, de me servir de photographe. Je tiens aussi à remercier mon ami Mario Payette, qui m'a encouragé à écrire ce volume et dont les conseils ont été très utiles. Mme Deidre Green, libraire de l'Association médicale canadienne, m'a particulièrement aidé à retrouver des articles à partir d'informations partielles. Je la remercie.

Mon travail n'aurait pas été complet sans les échanges d'articles médicaux et les discussions que j'ai eues avec Mme Hélène Baribeau, diététiste, et sans les judicieux conseils et les articles du docteur Parviz Ghadirian, directeur de l'Unité de recherche en épidémiologie du Centre hospitalier de l'Université de Montréal. Je remercie d'ailleurs ce dernier d'avoir révisé mon livre et d'avoir si gracieusement accepté que je le cite. Le docteur Marc-André Lavoie, interniste à l'Institut de Cardiologie de Montréal et chercheur à l'Institut de Recherche Clinique de Montréal, a aussi accepté que j'utilise une partie d'une conférence pour illustrer mon propos et a offert de réviser mon texte.

Je remercie tous les chercheurs et les épidémiologistes dont j'ai utilisé les travaux. Je remercie tout particulièrement le docteur Edward Giovannucci, du département de nutrition et d'épidémiologie de l'Université Harvard. Ses envois de documents ont été précieux. C'est quand on est monté sur les épaules de géants qu'on arrive à voir au-delà de l'horizon.

Je me permets enfin de remercier chaque lecteur : j'espère que ce livre sera à la hauteur de vos attentes.

François Melançon, MD

Introduction

« Lorsque j'étais petit, ma mère me disait de manger des épinards... C'était plein de fer et ça rendait fort. Ma grand-mère me disait de manger mes carottes : ça donnait de bons yeux. Ma grand-mère et ma mère avaient peu d'éducation formelle. Mais elles contrôlaient ce que je mangeais.

Un directeur d'école possède beaucoup d'éducation formelle, mais il ne contrôle pas sa cafétéria. Et tous les jours, les jeunes mangent des hamburgers et des frites dans ces cafétérias. Vous savez à combien de cuillères à table de beurre équivalent un hamburger et des frites ? DOUZE !

Mangeriez-vous douze cuillères à table de beurre chaque jour ? C'est pourtant ce que vos enfants font. À trente ans, ils vont souffrir d'obésité (ils en souffrent déjà), de diabète, d'hypertension et de maladie cardiaque...

Le problème, c'est qu'ils ne le savent pas. Il est urgent d'agir. Ils ont le droit de savoir. »

Adapté d'une conférence du docteur Marc-André Lavoie, Interniste, Institut de Recherche Clinique de Montréal et Institut de Cardiologie de Montréal, donnée aux médecins omnipraticiens de l'Estrie.

Je pratique la médecine depuis vingt ans et, au cours de ma carrière, j'ai traité un grand nombre de pathologies. J'ai employé l'arsenal des médicaments et de la chirurgie mis à ma disposition pour aider mes patients à recouvrer la santé.

J'ai dû malheureusement constater que les traitements restauraient rarement la santé des gens. Malgré des résultats qui semblaient normaux, les hypertendus évoluaient trop souvent vers la thrombose cérébrale et les gens dont la maîtrise du cholestérol semblait excellente souffraient quand même d'infarctus du myocarde. Les obèses, de plus en plus nombreux, ne réussissaient que peu à perdre du poids, et ceux qui y arrivaient le faisaient trop souvent au détriment de leur santé. J'ai noté qu'il y avait de plus en plus de cas d'ostéoporose, chez des patientes de plus en plus jeunes, et je ne compte plus les cas de cancer et d'Alzheimer que j'ai eus à traiter.

En 1999, j'ai, par hasard, entendu parler d'une étude réalisée à Lyon, en France, par un certain docteur Renaud. Il avait comparé l'effet de deux diètes sur l'évolution de deux groupes de patients cardiaques. Un groupe suivait la diète recommandée par l'association américaine du cœur, alors que l'autre recevait une diète crétoise modifiée (l'île de Crête est une petite île grecque de la Méditerranée). Les résultats m'ont estomaqué : il y avait déjà des différences entre les deux groupes en deux mois seulement. Les résultats après deux ans étaient simplement renversants : le groupe qui suivait la diète crétoise modifiée comptait 75 % moins d'infarctus et de morts soudaines que dans celui traité « agressivement » de la façon considérée comme la meilleure du monde.

Je me suis alors rappelé que des études épidémiologiques montraient, selon les pays, des différences importantes dans les taux de certaines maladies. On retrouve, par exemple, en Asie beaucoup moins de cancers du côlon qu'en Amérique du Nord. Pourtant, ces mêmes Asiatiques, une fois immigrés en Amérique du Nord, rejoignaient les taux de cancer des Nord-Américains en une génération, après avoir changé leurs habitudes alimentaires.

J'ai donc décidé de creuser la question. Ce livre se veut le résumé de mes trouvailles et de mes réflexions.

En bref, vous apprendrez que les maladies dites dégénératives — le diabète de type 2, l'obésité, l'hypertension, la maladie cardiaque et la maladie vasculaire, l'arthrite, l'arthrose et l'ostéoporose, l'asthme, plusieurs formes de cancer et la maladie d'Alzheimer — sont directement reliées à l'alimentation.

Des recherches ont montré que les populations qui consomment des diètes basées sur des végétaux non raffinés échappent à ces maladies dégénératives, alors que celles qui s'alimentent de produits raffinés sont ravagées par ces affections. (Note importante : le terme « raffiné » n'a rien à voir avec la finesse du goût, mais se rapporte plutôt à l'appauvrissement épouvantable que l'on fait subir à nos aliments en les préparant, raffinant, pour la consommation.)

Vous apprendrez aussi que si l'alimentation moderne riche en OGM (organismes génétiquement modifiés) et en poisons et déficiente en nutriments peut causer ces maladies, un changement alimentaire peut non seulement les prévenir mais aussi les soigner, parfois en guérir plusieurs. Lorsque nous retirons les poisons de notre vie et que nous consommons des aliments favorables à notre santé, notre corps peut souvent se guérir, même de conditions que certains considèrent « incurables ».

Aucune vitamine, aucun antioxydant n'est une panacée à tous nos maux, du rhume au cancer. Mais si de larges segments de la population peuvent réduire leurs risques de souffrir de maladies dégénératives en adoptant une nouvelle façon de manger, il devient essentiel de les informer des bénéfices à en tirer. Je vous invite à recouvrer et à conserver, avec le plaisir de manger, la santé*.

---

* L'information fournie ici ne doit pas être utilisée pour remplacer une consultation médicale. L'autodiagnostic n'a jamais aidé personne. N'arrêtez aucune médication simplement parce que vous avez lu ce livre. Je vous encourage fortement à consulter un médecin. Les informations et les opinions exprimées ici sont basées sur des recherches médicales de pointe et j'ai vérifié, dans la mesure du possible, leur exactitude. Discutez toujours avec votre médecin des changements que vous désirez apporter à votre style de vie, afin d'être efficacement supervisé.

« ... Alors que les baby-boomers atteignent l'âge de la retraite, les coûts encourus pour traiter des maladies chroniques qui pourraient être prévenues menacent d'épuiser les ressources du système de santé...
... Les habitudes de vie doivent être modifiées de toute urgence par toutes les communautés si on veut que le système de santé demeure abordable et efficace. »

Dr David MacLean, professeur et directeur du département de santé communautaire et d'épidémiologie de l'Université Dalhousie, Nouvelle-Écosse.

Avant-propos

« Notre taux d'incidence du cancer est plus élevé qu'ailleurs parce que les Québécois sont plus à risque à cause du tabagisme et de mauvaises habitudes de vie comme une mauvaise alimentation et l'insuffisance d'exercices physiques. »

Pauline Marois, ministre de la Santé et des Services sociaux du Québec, 27 septembre 2000.

Accusation facile. Pourtant, les gens atteints d'un cancer ne fument pas tous. Et tous ne consomment pas de la « cochonnerie ». Les Québécois consomment la même diète que les habitants du reste de l'Amérique du Nord. Les Québécois ne mangent pas plus mal qu'ailleurs sur le continent. Les taux d'obésité sont de 35% chez les hommes et 27% chez les femmes au Québec, des taux bien peu glorieux, mais semblables à ceux des États-Unis.

La différence majeure entre le Québec et le reste du Canada se situe plutôt au niveau de la survie au cancer. Et cette survie est fonction de la précocité du diagnostic et du traitement. Ces deux éléments sont problématiques au Québec. Les différences ne viennent pas d'habitudes plus mauvaises au Québec qu'ailleurs, mais de problèmes d'organisation des soins de santé.

« Des diagnostics réalisés à des stades trop avancés, l'accès difficile aux traitements et des protocoles de traitement qui

diffèrent trop d'un établissement à l'autre pourraient expliquer cette piètre figure par rapport au reste du Canada. »

Dr Richard Lessard, spécialiste en santé communautaire.

Madame la ministre avait pourtant partiellement raison sur la diète. Une diète typiquement nord-américaine favorise le cancer. En 1996, l'École de santé publique de l'Université Harvard a conclu que presque 70% de tous les cancers peuvent être attribués au tabagisme, aux aliments et aux boissons consommés et à un style de vie sédentaire. Seulement 2% des cancers sont reliés à la pollution environnementale et 10% sont attribuables au bagage génétique[1]. Étant donné la situation extrêmement préoccupante de l'organisation des soins de santé au Québec, il est d'autant plus important de donner un sérieux coup de barre personnel et d'effectuer une véritable prévention.

C'est l'objet de ce livre.

1. Les références aux notes se trouvent à la page 241 et s.

« Dis-moi ce que tu manges, je te dirai ce que tu seras... L'homme du XXe siècle n'est plus capable, au moyen de ses sens atrophiés, de discerner le poison d'un aliment. »

Robert J. Courtine

« Le savant, qui a pu découvrir une vérité, doit s'efforcer de l'exprimer, non point dans un langage ésotérique, intelligible aux seuls initiés, mais dans un langage pour tous. »

Georges Duhamel

« La médecine classique actuelle traite le problème du cancer comme si un homme bien portant avait eu l'inconcevable malchance de voir se produire une prolifération cancéreuse dans son corps sain ! »

Professeur Werner Zabel

Partie I

QUELQUES PRINCIPES

Chapitre I

Le régime méditerranéen

QUELQUES CONSTATS

La solution de facilité qui consiste à manger n'importe quoi et à consommer des suppléments alimentaires ne fonctionne pas.

L'industrie des « suppléments alimentaires* » est prospère et inonde le marché de produits qui promettent la santé à chacun, en autant qu'il consomme quotidiennement ses petites capsules... Chaque entreprise y va de son mélange de vitamines**, de minéraux et de « produits naturels*** » .

Malheureusement, la réalité est plus complexe. Il est parfaitement vrai que les antioxydants tels les vitamines C et E et le sélénium absorbent les radicaux libres, ces produits du métabolisme impliqués dans plusieurs affections, du cancer à la maladie cardiovasculaire, en passant par l'Alzheimer et même dans le processus du vieillissement. Cependant, il est illusoire de croire qu'on peut ingurgiter impunément autant de « déchets »

---

* « Supplément alimentaire » est un terme poubelle que chacun utilise à sa guise. On retrouve sous cette appellation à peu près n'importe quoi. Certains suppléments sont sérieux et fabriqués selon les normes sévères de l'industrie pharmaceutique. Plusieurs autres, malheureusement, promettent la santé en capsule, sans effort, et abusent de la crédulité des gens.

**Aucune vitamine n'est une panacée pour tous les maux qui nous affligent, du rhume au cancer.

***Ces produits dits « naturels » n'ont trop souvent de naturel que le nom. Dans l'esprit des consommateurs, un produit de source naturelle ne peut être que bon. Peu de gens savent cependant que les fabricants de produits naturels n'ont à respecter aucune norme et qu'on peut encore trop souvent trouver sur le marché des produits parfaitement inefficaces, quand ils ne sont pas carrément dangereux pour la santé.

dans la mesure où l'on avale son comprimé magique.

Des recherches récentes ont même conclu que des mégadoses d'antioxydants ne préviennent pas nécessairement l'apparition de maladies chroniques.

En fait, c'est l'inverse: des doses très élevées d'antioxydants peuvent causer des problèmes de santé. Des mégadoses de vitamine E peuvent, par exemple, entraîner des saignements et même des hémorragies cérébrales et contribuer à la progression de maladies du système immunitaire. Trop de vitamine C cause de la diarrhée, peut interférer avec des traitements contre le cancer et être associé à un risque accru de dommage aux organes du corps. L'ingestion excessive de zinc peut augmenter les besoins du corps pour d'autres éléments nutritifs, diminuer l'immunité, abaisser le HDL (le bon cholestérol) et augmenter le LDL (le mauvais cholestérol). Trop de sélénium fait perdre les cheveux et les ongles. Plus grave encore: un article publié dans *The Scientist*[2] en septembre 2000 recense plusieurs recherches qui semblent établir un lien entre la consommation de mégadoses de bioflavonoïdes* par des femmes durant leur grossesse et la leucémie chez les enfants nés de ces grossesses. Les entreprises productrices de suppléments nutritifs proposent souvent des doses énormes de bioflavonoïdes allant jusqu'à 500 mg par comprimé pour le bioflavonoïde Quercetin, ce qui correspond à ingérer 37 kg de laitue ou 178 litres de jus de pomme!

Ces bioflavonoïdes, présents dans la nourriture, protègent cependant du cancer. Comment pourraient-ils causer la leucémie? L'action des bioflavonoïdes est paradoxale: à faibles doses, comme on les retrouve dans les aliments, ils combattent le

---

*Les bioflavonoïdes sont des composés chimiques produits par les plantes. On en a dénombré plus de 4000. À des concentrations normales, ils ont des effets extraordinaires sur la santé humaine: ils maintiennent notamment l'intégrité des vaisseaux sanguins et protègent du cancer. Mais des doses élevées peuvent donner des résultats désastreux.

cancer efficacement. À doses plus élevées, ils auraient le potentiel de le causer. Et comme les bioflavonoïdes traversent la barrière placentaire, ils pourraient affecter le fœtus de façon positive ou négative, selon la dose ingérée. On pourrait donner bien d'autres exemples... Ce texte ne se veut pas un traité sur les suppléments nutritifs, mais une invitation à la prudence. Avec les « produits naturels » et autres suppléments nutritifs, la prudence est toujours de mise : trop est souvent aussi nocif que pas assez.

LES MICRONUTRIMENTS EN CAPSULE : UNE SOLUTION INEFFICACE POUR ATTEINDRE LA SANTÉ

Notre alimentation doit comprendre des nutriments essentiels à la santé. C'est d'ailleurs pourquoi la plupart des aliments, grossièrement appauvris par le « raffinage », doivent être réenrichis de certains des nutriments retirés lors de la préparation. Si ces nutriments n'y étaient pas rajoutés, l'état de santé de la population ne serait pas pitoyable : il serait désastreux !

La reconnaissance de l'importance des micronutriments entraîne malheureusement la tendance à créer des solutions sur mesure. À chaque condition sa pilule miracle. Sauf que presque chaque jour, on découvre de nouveaux micronutriments et on se rend compte que ces suppléments ne sont pas adéquats. La solution est ailleurs. N'est-il pas curieux de manger n'importe quoi et d'attendre l'apparition de la maladie avant de tenter de corriger les problèmes maladroitement ?

LES SOLUTIONS LES PLUS SIMPLES SONT SOUVENT LES MEILLEURES

Consommer jusqu'à cinq portions de fruits et de légumes par jour est une façon beaucoup plus sécuritaire de combler vos besoins en vitamines. Les fruits et les légumes ont aussi d'autres qualités que les suppléments ne possèdent pas[3].

À la diète, il faut ajouter l'exercice et la maîtrise du poids, qui sont des éléments déterminants dans l'apparition de la maladie coronarienne et vasculaire, de l'ostéoporose, du diabète, de plusieurs formes de cancer et même de la dépression.

Une diète

- riche en fruits, en légumes, en grains entiers, en noix (oléagineux);
- comprenant des produits laitiers à basse teneur en gras;
- pauvre en gras saturés, en cholestérol, en sucre et en glucides raffinés;
- qui privilégie la volaille et le poisson plutôt que la viande rouge

Peut

- réduire l'indice de masse corporelle (faire perdre du poids);
- augmenter les HDL (le « bon » cholestérol);
- réduire les LDL (le « mauvais » cholestérol);
- diminuer la glycémie;
- aider à normaliser la tension artérielle.

Cette diète est même considérée comme une solution de rechange au traitement avec médication de l'hypertension et donne aux gens qui la consomment la perception d'une meilleure qualité de vie... Effectivement, il est très gratifiant de savoir que l'on s'alimente bien.

Une étude majeure, publiée dans le *JAMA* (Journal de l'Association médicale américaine), l'a démontré en questionnant plus de 42 000 femmes sur leurs habitudes alimentaires. Celles qui consommaient le plus de fruits et de légumes, de grains entiers, de viandes maigres et de produits laitiers à basse teneur en gras risquaient le moins de mourir du cancer, de paralysie et de maladie cardiaque... (Ces femmes avaient 30% moins de risque de mourir de ces conditions que celles qui ne

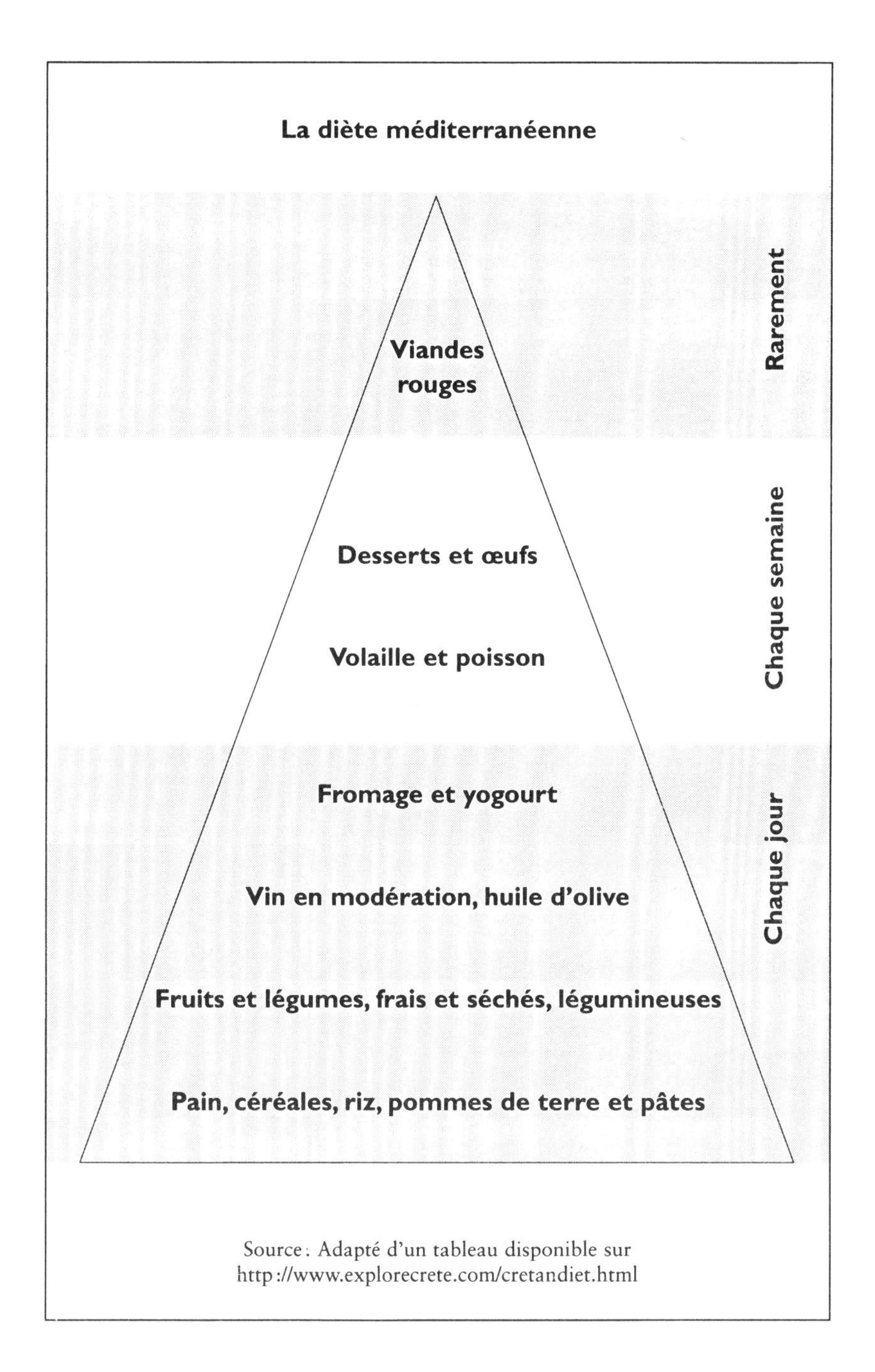

Source : Adapté d'un tableau disponible sur http ://www.explorecrete.com/cretandiet.html

suivaient pas ces guides alimentaires.) Cette étude confirme les découvertes sur les vertus de la diète méditerranéenne...

En 1947, des scientifiques qui visitaient la Crète, appauvrie par la guerre, constatèrent que ses habitants, malgré leur pauvreté, étaient en bien meilleure santé que les Nord-Américains et les Britanniques. Les Crétois développaient beaucoup moins de maladies cardiaques (dix fois moins qu'aux États-Unis*), de cancers ou d'arthrite et jouissaient de l'espérance de vie la plus élevée parmi les pays développés. Les scientifiques attribuèrent cela à l'alimentation crétoise, très riche en huile d'olive, fruits et légumes frais, graines et céréales, et nommèrent cette découverte « régime méditerranéen ».

Publiée en 1970, une étude majeure, menée par l'épidémiologiste américain Ancel Keys, étudia des populations d'hommes de 40 à 60 ans dans 7 pays européens. Les 700 Crétois qui participèrent à l'étude eurent les plus bas taux de maladie cardiaque et de cancer. Keys a noté qu'un paysan crétois avait 3,2 fois moins de risques de mourir d'une maladie de cœur qu'un Finlandais. Il a aussi montré qu'il y a, dans les régions méditerranéennes, moins d'accidents cardiaques, moins de cancers, moins de diabète et une plus grande longévité. Trente ans plus tard, 50% des Crétois étudiés étaient encore en excellente santé, alors que, par exemple, tous les Finlandais étaient décédés.

Les enquêtes épidémiologiques de l'OMS (Organisation mondiale de la santé) ont d'ailleurs confirmé ce fait : les populations des bords de la Méditerranée sont beaucoup moins sujettes aux maladies cardiovasculaires, au cancer, à l'obésité, au diabète et à l'ostéoporose que celles du nord de l'Europe.

---

*Les autopsies effectuées sur de jeunes soldats d'à peine 18 ans, tués au combat au Viêtnam, ont montré que ces jeunes avaient déjà des plaques athéromateuses (de gras) dans leurs coronaires...

Mais cette résistance aux maladies et cette longévité étaient-elles d'origine alimentaire ou s'agissait-il plutôt de facteurs génétiques ? Le docteur Renaud, de Lyon, a résolu cette question de façon très élégante.

Il a divisé un groupe homogène de 605 cardiaques de la région de Lyon en deux groupes. Tous les patients étaient traités de la même façon, quant aux facteurs de risque : obésité, cholestérol, hypertension, tabagisme, sédentarité... Seule l'approche alimentaire différait. Le premier groupe recevait la diète de l'« American Heart » — l'association américaine du cœur — (très pauvre en gras) et le deuxième consommait la diète méditerranéenne.

En deux mois, il y avait déjà des différences entre les deux groupes, et deux ans plus tard, le groupe qui consommait l'alimentation crétoise comptait une diminution de 70 % de tous les événements cardiaques et cardiovasculaires (nouvel infarctus, accident vasculaire cérébral et mort soudaine) en comparaison de l'autre groupe traité de la manière considérée jusqu'alors (et même encore aujourd'hui !) comme la meilleure pour traiter la maladie cardiaque.

À titre de comparaison, lorsqu'un médicament diminue le risque cardiaque, ne serait-ce que de 30 %, on crie presque au miracle.

UN NOUVEAU GUIDE ALIMENTAIRE

Toutes les études sur la diète et l'alimentation ont fini par se traduire par de nouvelles directives sur l'alimentation. À la suite notamment de l'étude de Lyon, l'American Heart Association vient en effet de modifier ses recommandations alimentaires. On peut les retrouver sur leur site web au :

www.americanheart.org

Ces recommandations ressemblent curieusement à la base de

la diète méditerranéenne. On suggère dorénavant une diète riche en fruits et en légumes, en légumineuses et en céréales à grains entiers, dont les sources de protéines sont les poissons (surtout les poissons gras), les viandes maigres et la volaille, et contenant des produits laitiers à basse teneur en gras.

Pour la première fois en Amérique du Nord, on recommande de consommer deux fois par semaine du poisson dont les acides gras oméga-3 protègent de l'infarctus du myocarde. (Les acides gras oméga-3 sont un sous-groupe de gras polyinsaturés [voir Acides gras dans le lexique]. Le mot « oméga-3 » réfère à la structure chimique de ces gras. Les études suggèrent maintenant que ces gras contribuent à réduire le risque de maladies cardiaques et d'accidents vasculaires cérébraux en rendant les plaquettes moins « collantes » et en freinant la « cascade » [les divers phénomènes biochimiques] de la coagulation du sang.) On retrouve ces gras dans le thon ou le saumon, la truite et le maquereau, et dans les huiles de colza, de soja et de lin.

QUE PEUT-ON CONCLURE ?

« … le facteur le plus étroitement lié à la mortalité cardiaque en analyses univariées était non pas le cholestérol sérique mais la consommation de graisses saturées ».

« La conséquence thérapeutique immédiate est qu'il serait plus rentable, surtout en terme de mortalité, d'adopter des habitudes alimentaires méditerranéennes plutôt que de viser uniquement l'abaissement du taux de cholestérol. L'association de ces effets cardioprotecteurs et des effets bénéfiques sur le bilan lipidique standard confère à ce type de régime un intérêt considérable en santé publique. »

Michel de Lorgeril, MD, « Diète méditerranéenne et prévention des maladies cardiovasculaires (résumé de conférence) », Colloque Nutrition, cholestérol et santé cardiovasculaire : controverses et nouveautés, *Les actualités du cœur*, automne 2000.

- Les gens qui suivent les préceptes de la diète méditerranéenne vivent plus longtemps et souffrent beaucoup moins de maladies dégénératives (diabète, hypertension, maladie cardiaque, cancer, obésité) que ceux qui consomment une alimentation qui n'en respecte pas les principes.
- Après un infarctus du myocarde, consommer une diète de type méditerranéen réduit énormément le risque d'un nouvel infarctus et de mort subite.

Chapitre 2

Comment exporter le cancer?

Les études épidémiologiques ont prouvé hors de tout doute qu'une diète de type méditerranéen (ou africain ou asiatique parce que ces diètes respectent les mêmes principes d'abondance de nourritures végétales et de pauvreté relative de nourriture de source animale) protège de toutes les maladies de civilisation (diabète, hypertension, maladie cardiaque, cancer, etc.).

L'inverse a aussi été prouvé. Après la Seconde Guerre mondiale, la puissance économique américaine a fait que le style de vie et les habitudes de consommation des Nord-Américains est malheureusement devenu un idéal à atteindre pour le reste du monde.

Avec l'amélioration du niveau de vie en Chine, les habitudes alimentaires privilégient désormais la nourriture d'origine animale au détriment des produits d'origine végétale. Ce changement a été associé à une augmentation immédiate d'obésité, de maladie cardiovasculaire, de cancer du sein et de cancer colorectal.

Des chercheurs américains et de l'Organisation mondiale de la santé ont noté exactement les mêmes faits dans d'autres parties du monde: plus de richesse amène l'adoption de la diète nord-américaine. Et on s'inquiète de plus en plus des conséquences à long terme sur les grands consommateurs de viande, alors qu'on injecte aux animaux des hormones synthétiques et des antibiotiques et qu'ils sont nourris de plantes génétiquement modifiées[4]. (Voir la Partie V sur l'industrie agro-alimentaire, p. 161).

Dans plusieurs cas, il semble que des intérêts purement mercantiles passent bien avant des préoccupations concernant la santé humaine. Depuis 1995, par exemple, 30% des vaches laitières américaines reçoivent deux fois par mois une injection d'une hormone synthétique (BGH, de l'entreprise Monsanto, une multinationale géante, impliquée dans l'industrie pharmaceutique et qui investit énormément dans l'agro-alimentaire, notamment dans les OGM) pour augmenter leur production de lait.

Basant ses conclusions sur une étude — non publiée — de Monsanto, la Food and Drug Administration (FDA: l'équivalent américain de notre ministère de la Santé) a approuvé l'utilisation de cette hormone et a assuré le public américain que ce lait était sans danger pour la santé humaine. Cette étude consistait à injecter à des rats de laboratoire de fortes doses de l'hormone pendant 90 jours. Monsanto a affirmé que les rats n'avaient rien absorbé et donc que l'hormone était sans danger. La FDA l'a crue.

Pourtant, la Direction de la Protection de la Santé du gouvernement canadien a revu les données de cette étude et en a tiré des conclusions totalement différentes: entre 20% à 30% des rats avaient absorbé l'hormone et ils présentaient des kystes à la thyroïde. De plus, on pouvait retrouver des quantités significatives de l'hormone dans la prostate des mâles. En fait, les Canadiens craignent que l'utilisation de la BGH ne contribue à augmenter les cancers de la prostate chez l'homme et du sein chez la femme[5].

Quoique cette décision canadienne ait été bonne, elle est partiellement basée sur une fausse prétention à l'effet que les producteurs canadiens seraient plus « verts », au sens écologique, que les producteurs américains. Ce que, malheureusement, les faits ne prouvent pas. On peut prendre simplement en exemple nos critères d'acceptation des organismes génétiquement modifiés (OGM) et dans l'utilisation quotidienne d'hormones de croissance pour augmenter la productivité. En effet, les animaux « traités » avec des hormones de croissance grossissent de 6% à 18% plus vite et donnent une viande moins grasse et plus tendre. De leur côté, les Européens considèrent ces substances cancérigènes. Nous verrons tout cela en détails au chapitre sur les OGM (*Les organismes génétiquement modifiés : le pour et le contre*, p. 173, et dans celui sur l'agriculture intensive : *$P = ms^2$ ou les problèmes de l'agriculture intensive*, en p. 197).

QUE PEUT-ON CONCLURE ?

- Le passage à une diète de type nord-américain est associé à une augmentation immédiate de maladies dégénératives (maladies cardiaque et cardiovasculaire, cancer du côlon, obésité, diabète...).
- L'injection d'hormones aux animaux en vue d'augmenter la qualité de leur viande ou la quantité de leur lait est loin d'être aussi sécuritaire pour la santé qu'on voudrait le faire croire en Amérique du Nord ; de plus, les grands consommateurs de protéines animales risquent plus de subir des complications graves, allant même jusqu'à un risque augmenté de cancer du sein ou de la prostate que les consommateurs modérés de produits qui privilégient les végétaux.

Chapitre 3

Le facteur P3...

Les recherches d'un groupe écossais ont permis d'identifier une composante des tomates et d'autres fruits (les melons, les fraises et les pamplemousses par exemple) qui expliquerait l'importante réduction des maladies cardiovasculaires chez des consommateurs réguliers. Jusqu'à très récemment, on croyait que les bénéfices cardiovasculaires de la diète méditerranéenne étaient dus à sa teneur en antioxydants. Le facteur nouvellement identifié possède des propriétés différentes de celles des antioxydants comme la vitamine C ou le lycopène (un antioxydant naturel retrouvé dans certains fruits et légumes).

Ce facteur P3, présent dans le jus jaunâtre qui entoure les graines des tomates, est un antiplaquettaire puissant qui empêche les plaquettes de s'agglutiner. Cette agglutination ou « agrégation » précipite la cascade qui mène éventuellement aux thromboses, la cause la plus importante de décès dans les pays développés (30% du nombre total des décès).

Le facteur P3 est très puissant: l'ingestion de quatre tomates réduit l'activité des plaquettes de 72%. Cet effet est toutefois temporaire, ce qui évite que le facteur P3 cause des problèmes de saignements comme ceux que les traitements antiplaquettaires courants (l'aspirine par exemple) causent[6].

La tomate possède de plus d'autres propriétés intéressantes. Ainsi, une étude récente[7] a démontré que la consommation de tomates et de produits de la tomate est non seulement associée à une diminution du risque de maladie cardiaque, mais aussi à celle de plusieurs formes de cancers, dont ceux du sein et de la prostate. Plus les taux de lycopène de tomate étaient bas dans le sang et plus grand était le risque de retrouver un cancer.

QUE PEUT-ON CONCLURE ?

- Le facteur P3 est un phytofacteur présent dans les tomates, les fraises, les melons et les pamplemousses qui a une action antiplaquettaire puissante et dont l'effet, combiné à celui des antioxydants et des vitamines, explique que des consommateurs réguliers sont protégés de la maladie cardiaque et cardiovasculaire.
- La consommation régulière de tomates et de produits de la tomate est associée aussi à une baisse importante de plusieurs types de cancers, dont ceux du sein et de la prostate, en raison notamment de la teneur en lycopène, un antioxydant puissant, dans ce fruit.

Chapitre 4

Les agents phytochimiques et la protection des maladies

Nos organes et nos cellules sont génétiquement adaptés à une alimentation très différente de celle qui est consommée aujourd'hui dans les pays industrialisés. Pendant des siècles, les humains ont, en effet, consommé des végétaux. De nos jours, trop de gens obtiennent la moitié de leurs calories quotidiennes de sources animales, ce qui est une garantie certaine d'épidémie de maladies dégénératives « modernes », comme la maladie cardiaque et le cancer.

Le retour à une alimentation basée en grande partie sur des produits végétaux non raffinés est sans doute le geste le plus important que nous pouvons faire, comme société, pour notre santé[8].

Beaucoup de micronutriments trouvés dans les plantes aident à la protection cellulaire. Ces agents végétaux sont particulièrement efficaces contre le cancer et utilisent plusieurs mécanismes :

- ils inhibent directement la formation de carcinogènes ;
- ils augmentent l'efficacité d'enzymes cellulaires protectrices ;
- ils suppriment plusieurs processus menant éventuellement à la formation des cancers (certains produits inhibent par exemple la formation de nouveaux vaisseaux sanguins nécessaires pour nourrir les cellules cancéreuses).

Les chercheurs ont identifié plusieurs substances végétales protectrices, et le nombre de ces substances ne cesse de grandir. On comprend de mieux en mieux les mécanismes d'action de ces agents et certains espèrent pouvoir en venir un jour à des prescriptions spécifiques à chaque condition.

Même si ces prescriptions spécifiques semblent prometteuses, une fois la maladie installée, la consommation d'une grande variété de végétaux confère des vertus préventives pour toutes les pathologies dégénératives et cette consommation permet de bénéficier de leurs avantages combinés.

Certains types de cuisson — surtout sur barbecue — produisent des substances qui induisent le cancer. Les antioxydants retrouvés dans les plantes diminuent l'absorption intestinale de ces carcinogènes. Préparer et consommer de la viande avec de l'ail et des oignons minimise l'effet des agents carcinogènes induits par la cuisson.

Même les épices et les herbes — curcuma, romarin, origan, gingembre, sésame pour n'en nommer que quelques-uns — contiennent des antioxydants. Le curcuma, par exemple, renferme une substance qui protège contre le cancer du poumon induit par la cigarette[9].

RÉDUCTION DU RISQUE DE CANCER DU SEIN ET D'OSTÉOPOROSE

Les femmes à risque (celles qui présentent des zones importantes de tissus radiologiquement denses à la mammographie) voient, après deux années de diète méditerranéenne, une réduction importante de ces zones denses. C'est encore plus vrai après la ménopause. Les isoflavones et autres phytœstrogènes (substances naturellement présentes dans les plantes dont les effets sont très semblables à ceux des œstrogènes naturels de la femme) trouvés dans les fèves de soja et de lin ont aussi un effet favorable sur les symptômes vasomoteurs et la santé osseuse. De plus, les isoflavones ne stimulent pas l'endothélium (la couche interne) de l'utérus et n'augmentent donc pas le risque de cancer de l'utérus.

RÉDUCTION DES SYMPTÔMES PRÉMENSTRUELS

La consommation d'un régime à haute teneur en produits végétaux présente des avantages importants pour les femmes souffrant de crampes abdominales et de changements émotifs sévères autour de la période menstruelle. Une équipe de chercheurs de l'Université Georgetown à Washington a constaté que les femmes qui consomment ce type d'alimentation, riche en fibres et basse en gras saturés, pendant au moins deux mois, voient leurs crampes réduites de un jour et demi. Elles deviennent moins irritables et souffrent moins de ballonnements.

On croit que cela serait causé par une modulation plus douce de la production d'œstrogènes par le corps, qui entraîne aussi une réduction de la production des prostaglandines, responsables des crampes utérines.

QUE PEUT-ON CONCLURE ?

- Les aliments d'origine végétale sont riches en substances qui protègent du cancer, même lorsque le mode de cuisson utilisé génère des agents carcinogènes. Ces substances sont absentes des aliments d'origine animale.
- Les consommateurs de grandes quantités d'aliments d'origine végétale, y compris les épices et les herbes d'assaisonnement sont protégés du cancer.
- Les femmes qui consomment une diète de type méditerranéen risquent moins de souffrir d'un cancer du sein que la moyenne des femmes.
- Même les femmes dont les seins renferment des zones denses, à risque de devenir cancéreuses, voient ces zones diminuer lorsqu'elles commencent à consommer une diète méditerranéenne.
- Les phytœstrogènes présents dans certaines des plantes diminuent les symptômes associés à la ménopause, notamment les bouffées de chaleur.

Partie II

DE QUELQUES MALADIES ET DE LEUR PRÉVENTION

Chapitre 5

Le diabète

1,5 million de Canadiens souffrent du diabète et ce nombre pourrait doubler d'ici 15 ans. Ce qui correspond à 5% de la population canadienne totale et à 20% des plus de 40 ans. Ces chiffres sont certainement inquiétants et reflètent l'épidémie de diabète qui a lieu actuellement dans les pays industrialisés. Alors que jusqu'à récemment le diabète de type 2 était l'apanage des adultes obèses et vieillissants, les statistiques nous indiquent que de plus en plus d'enfants et d'adolescents, tous obèses, en sont atteints.

Définissons d'abord les types de diabète en utilisant une analogie : si le sucre est le carburant de la cellule, l'insuline est la clé qui permet d'ouvrir la serrure du réservoir de carburant de la cellule. Dans le diabète de type 1, il n'y a plus de clé. Dans le diabète de type 2, surtout associé à l'obésité, il y a au contraire une abondance de clés (donc d'insuline)... Ce sont les serrures qui sont « plâtrées » par l'excédent des graisses du corps.

Les données des Nations Unies montrent que les populations méditerranéennes présentent moins de diabète que celles du Nord de l'Europe. Cette faible prévalence devrait étonner, car l'alimentation méditerranéenne comprend un grand nombre d'aliments très riches en glucides.

L'explication à ce curieux phénomène se trouve dans l'indice glycémique des aliments, ou encore dans leur densité calorique. Les aliments consommés dans l'alimentation méditerranéenne sont surtout des aliments « nature » qui n'ont pas été transformés. Les légumineuses, les fruits et les légumes, les pâtes alimentaires et les produits entiers non raffinés (riz brun, avoine, orge...) contiennent, en plus de leurs glucides, des fibres solubles qui contribuent à régulariser la glycémie en diminuant la vitesse de passage dans la circulation sanguine.

Une étude de l'*American Journal of Clinical Nutrition* l'a démontré: une diète élevée en fibres alimentaires et pauvre en lipides (comme la diète méditerranéenne) a permis à 45% des 20 sujets souffrant d'un diabète de type 2 *d'interrompre leur traitement médical après seulement 16 jours*[10]. D'autres études sont venues corroborer ces trouvailles: en moins d'un mois, l'adoption d'un mode de vie actif, jumelé à une alimentation constituée en grande partie de végétaux et d'aliments faibles en gras permettait à près de 90% des sujets prenant des hypoglycémiants oraux d'interrompre leur traitement et à 75% de ceux prenant de l'insuline d'en faire autant[11].

Ce type d'alimentation présente même un intérêt pour les gens souffrant de diabète de type 1: ce type d'alimentation pourrait permettre d'améliorer la stabilité des taux de glycémie, de diminuer les risques de manifester des dyslipidémies et de réduire jusqu'à 30% les besoins en insuline[12].

L'apport élevé en glucides complexes, en fibres alimentaires et en phytœstrogènes associé à une ingestion restreinte en gras saturés et en cholestérol contribue à réduire les risques d'athérosclérose, la cause la plus fréquente de décès chez les diabétiques. Finalement, la substitution de protéines végétales aux protéines animales permet d'abaisser le cholestérol sanguin et de mieux maîtriser la néphropathie en réduisant la filtration glomérulaire[13].

QUE PEUT-ON CONCLURE?

- Le diabète de type 2, autrefois « réservé » aux adultes, touche maintenant des gens de plus en plus jeunes, y compris un nombre grandissant d'enfants, en raison de l'augmentation catastrophique de l'obésité dans les pays industrialisés.

- Le régime de type méditerranéen, riche en plantes non transformées et non raffinées, fournit une grande quantité de fibres alimentaires qui servent de « tamis » et diminuent la vitesse de pénétration des sucres dans le sang.
- Les diabétiques qui suivent ce genre de régime peuvent très souvent cesser de prendre toute médication orale ou diminuer de façon importante leur insuline, tout en normalisant leur glycémie et échappent donc aux complications majeures liées à ce type de maladie, dont la maladie cardiaque et l'insuffisance rénale.

Chapitre 6

L'asthme et les allergies

Une étude fascinante publiée dans la revue *Thorax*[14] a permis d'expliquer en partie l'augmentation importante de l'asthme dans le monde, augmentation qui suivait celle de la prospérité : plus les sociétés deviennent prospères et plus le nombre de cas d'asthme augmente.

L'étude, menée en Arabie Saoudite, a comparé des enfants d'une ville relativement américanisée, Jeddah, avec ceux de villages avoisinants, qui menaient une vie beaucoup plus traditionnelle.

Les chercheurs ont pu démontrer que :

- l'histoire familiale ;
- la présence d'atopie (l'atopie peut se définir comme la réponse exagérée de type allergique de l'organisme à certains éléments de son environnement) ;
- la consommation d'aliments du type « fast food » ;
- une faible consommation de lait, de légumes, de fibres, de vitamine E, de calcium, de magnésium, de sodium et de potassium ;

étaient des facteurs importants de risque pour l'asthme, alors que le sexe, la taille de la famille, la classe sociale, les infections et même le tabagisme des parents n'augmentaient pas le risque.

Cette étude confirme des trouvailles semblables chez les adultes. Dans une recherche effectuée à Aberdeen, en Écosse[15], les chercheurs ont en effet démontré qu'une réduction de la consommation d'antioxydants naturels était associée à une augmentation immédiate de la prévalence de l'asthme. En d'autres mots, plus la consommation de vitamine E, de vitamine C était faible, plus le rapport alpha tocophérol sur triglycérides était faible et plus il y avait d'asthme.

Les chercheurs croient que les antioxydants naturels pourraient moduler la réponse pulmonaire au *stress oxydatif* (voir la définition plus loin, p. 57) en limitant l'inflammation pulmonaire et les symptômes respiratoires. Les poumons ont besoin des antioxydants contenus dans les fruits et les légumes pour désarmer les radicaux libres, substances créées par la dégradation des structures graisseuses essentielles des membranes cellulaires, causées par les multiples agressions subies par le corps humain chaque jour (pollution, rayonnement ultraviolet...). La dégradation de ces structures graisseuses essentielles relâche un électron, une particule chargée électriquement, plus petite qu'un atome.

Cet électron libre (radical libre) se promène partout dans le corps et cause des dommages variés aux composants cellulaires. Dans les poumons, les radicaux libres causent une inflammation importante du délicat tissus endobronchique. Comme, avec l'âge, les défenses immunitaires perdent en efficacité, ces « maraudeurs » deviennent de plus en plus destructeurs, mais dès l'enfance, ils peuvent créer suffisamment d'inflammation pour précipiter l'asthme.

Plusieurs autres études[16] ont donné les mêmes résultats : la consommation régulière de fruits et de légumes, riches en antioxydants naturels, a été associée à une diminution significative dans la prévalence et la sévérité de l'asthme.

APRÈS L'ASTHME... PRÉVENIR LES ALLERGIES

Une étude fascinante publiée dans le *European Journal of Clinical Nutrition*[17] révèle que les enfants nourris au sein dont les mères ont consommé une diète riche en gras saturés (viandes rouges, gras hydrogénés et gras d'autres sources animales) avaient un risque 16% plus élevé de développer des allergies que les bébés dont les mères consommaient une diète riche en glucides complexes (pâtes de blé entier, riz brun, pain brun, etc.). (Par extension, on peut aussi probablement appliquer ces trouvailles aux enfants nourris au biberon avec du lait de vache, riche en gras saturé.)

Les chercheurs recommandent donc aux mères qui ont déjà des allergies de réduire leur consommation de gras à 10%, de façon à diminuer leur risque d'avoir des enfants souffrant eux aussi d'allergies.

Ces résultats peuvent donc aussi partiellement expliquer l'augmentation importante des allergies au cours des dernières années, phénomène qui concorde avec le changement majeur de l'alimentation dans les pays industrialisés.

QUE PEUT-ON CONCLURE?

- La consommation régulière de fruits et de légumes est associée à une diminution dans la prévalence de l'asthme, autant chez les adultes que chez les enfants.
- À l'inverse, le passage à une diète de type nord-américain, pauvre en fruits et en légumes, est associé à une augmentation dans la prévalence de l'asthme et explique en partie l'augmentation importante récente du nombre de cas.
- Les mères qui allaitent et qui consomment des gras saturés augmentent de façon importante le risque que leurs enfants souffrent d'allergies.

Chapitre 7

Un cerveau en santé

Pour ce qui est spécifiquement du cerveau, les recherches indiquent que les processus qui bouchent les artères et causent les changements cancéreux dans les cellules endommagent aussi le cerveau.

De fait, tout comme les poumons, le cerveau a besoin des antioxydants pour désarmer les radicaux libres. En effet, dans le cerveau, les radicaux libres détruisent le délicat réseau de communication entre les cellules cérébrales. Avec la baisse d'immunité associée à l'âge, les dommages deviennent de plus en plus importants.

En consommant suffisamment d'antioxydants, vous pourrez prévenir ou retarder l'apparition de la maladie d'Alzheimer, qui affectera près de 10 millions de personnes en Amérique du Nord d'ici 2025, en majorité des femmes.

Les antioxydants permettent aussi aux vaisseaux sanguins de rester perméables, et donc au sang de se rendre au cerveau. Comme 20% de votre flot sanguin sert à irriguer le cerveau, tout ce qui interfère avec ce flot cause des problèmes.

Parfois, le problème est majeur, comme dans un accident vasculaire cérébral (une paralysie). Parfois, le dommage est plus insidieux, plus graduel : il peut y avoir une série de petits accidents vasculaires cérébraux, ne causant au début que des oublis légers, mais qui mènent éventuellement à la démence vasculaire*, dont

---

*La démence vasculaire est une condition qui ressemble beaucoup à la démence d'Alzheimer. Son mécanisme d'apparition est différent. Dans le cas de la démence vasculaire

les symptômes sont semblables à ceux de l'Alzheimer.

Deux conditions liées à la maladie cardiaque sont particulièrement dangereuses pour le cerveau :

- l'excédent d'homocystéine, un acide aminé formé lorsque le corps digère des protéines animales, endommage l'intérieur des vaisseaux sanguins et entraîne l'accumulation de plaques qui bouchent l'intérieur des vaisseaux ;
- l'hypertension, qui érode l'intérieur des vaisseaux sanguins et crée un environnement favorable au développement de plaques, d'AVC et d'infarctus. Une étude majeure qui a suivi 3735 hommes sur 25 ans a montré que ceux qui souffraient d'hypertension dans la quarantaine avaient plus de difficulté avec leur mémoire, leur jugement et leur pensée abstraite.

Alors, comment améliorer sa longévité cérébrale ?

- Couper le sel et les gras saturés n'est que la première étape.
- Il faut aussi augmenter la consommation de fruits, de légumes (les fruits comme les bleuets et les fraises, les raisins rouges, les prunes et les cerises sont riches en anthocyanines, des antioxydants puissants qui protègent les neurones et leur capacité de répondre aux messages chimiques ; quant aux légumes tels les épinards, ils sont riches en bêta-carotène, en vitamine C et en acide folique, dont la combinaison est plus efficace que la somme séparée de chacune des parties) et de produits laitiers faibles en gras ; car cette combinaison peut réduire l'hypertension aussi bien que plusieurs médicaments, grâce à l'action conjointe des antioxydants, des minéraux et des fibres et il faut surtout manger beaucoup de poissons gras, comme le thon et le saumon, dont les acides gras

---

une foule de petits accidents vasculaires cérébraux détruit progressivement les zones du cerveau qui contrôlent les fonctions mentales supérieures et on note l'apparition progressive de la démence, en « marches d'escalier », par opposition à la maladie d'Alzheimer où la perte des fonctions mentales supérieures est plus insidieuse et progressive.

oméga-3 sont associés à des taux plus bas d'infarctus et de dépression.

- De façon spécifique, en les suivant plusieurs années, une étude a comparé la consommation de fruits et de légumes chez plus de 75 500 femmes de la Nurses Health Study et chez plus de 38 600 hommes de la Health Professional's Follow-up Study. Chaque portion supplémentaire de fruits et de légumes par jour était associée à une réduction de 7% du risque d'accident vasculaire cérébral (AVC) chez la femme et de 4% chez l'homme. La consommation de légumes de la famille du chou (brocoli, chou-fleur, etc.), la consommation d'agrumes et celle de fruits à forte teneur en vitamine C ont entraîné la réduction la plus marquée. Cette étude a tenu compte de plusieurs autres facteurs comme le tabagisme et la prise de suppléments de vitamines[18].
- Pour ce qui est spécifiquement de la maladie d'Alzheimer, les spécialistes s'entendent sur le fait suivant: « l'une des façons de prévenir ou retarder l'apparition de la maladie d'Alzheimer consiste à modifier l'exposition aux facteurs de risque connus. L'hypertension, le diabète sucré, l'artériosclérose et le tabagisme sont des conditions qui vont jusqu'à doubler, et même tripler, le risque de souffrir un jour de la maladie d'Alzheimer. Il est possible d'intervenir sur ces conditions afin de diminuer le risque de développer la maladie. La maîtrise de l'hypertension, par exemple, diminue ce risque du tiers[19]. »
- Les études épidémiologiques ont prouvé que certains aliments ont un effet bénéfique majeur sur la maladie d'Alzheimer. Une consommation d'au plus quatre verres de vin par jour en réduit le risque, tout comme la consommation de poisson. (Exactement comme dans la diète méditerranéenne.)

QUE PEUT-ON CONCLURE ?

- Le cerveau a absolument besoin des antioxydants retrouvés dans la nourriture pour pouvoir protéger le délicat réseau de communications entre les cellules cérébrales.
- Le cerveau est protégé par la consommation de fruits et de légumes, riches en anthocyanines (des pigments colorés qui sont des antioxydants puissants), en acide folique, en vitamine C et en bêta-carotène, dont l'action antioxydante combinée est supérieure à l'action d'un seul de ces éléments, pris isolément.
- Le cerveau est aussi protégé par la consommation de poissons gras, riches en acides gras oméga-3. Par opposition, une consommation importante de viande est associée à une élévation d'homocystéine et la consommation de gras saturés est jugée extrêmement nocive pour le réseau de communications cérébrales.
- L'hypertension, le diabète, l'artériosclérose et le tabagisme doublent souvent et parfois même triplent le risque de souffrir de la maladie d'Alzheimer. Comme on peut maîtriser les trois premières conditions par la diète et qu'il existe maintenant des moyens efficaces pour cesser de fumer, la prévention de l'Alzheimer devient soudain possible.
- Avec l'alimentation, vous avez le contrôle sur la santé de votre cerveau.

Chapitre 8

La santé des yeux

Parmi tous les gens âgés de plus de 65 ans, 9% souffrent de cataractes (un assombrissement de la lentille de l'œil) ou de dégénérescence maculaire (la macula est une petite zone, à l'arrière de l'œil, essentielle à l'acuité visuelle fine).

LA DÉGÉNÉRESCENCE MACULAIRE

Avec la dégénérescence maculaire, la vision fine devient de plus en plus difficile: les lignes perdent leur rectitude et les mots deviennent flous. Cette dégénérescence est la cause première de cécité chez les Canadiens de plus de 50 ans. Plusieurs facteurs semblent prédisposants: le sexe féminin et la race caucasienne, les yeux de couleur pâle et une exposition prolongée sans protection au soleil, le tabagisme et le vieillissement.

La macula, en raison de sa concentration en acides gras polyinsaturés à chaînes longues, est particulièrement sensible au « stress oxydatif ». Ce stress est secondaire aux multiples agressions subies par le corps humain chaque jour (pollution, rayonnement ultraviolet)... Agressions qui dégradent ces structures graisseuses essentielles des membranes cellulaires.

LES CATARACTES

Elles constituent la troisième cause de cécité au Canada. Certains facteurs y prédisposent: l'exposition prolongée sans protection au soleil, l'âge, le diabète, le tabagisme et l'usage des corticoïdes. Lorsque les gens souffrent de cataractes, ils perçoivent un environnement de plus en plus sombre et imprécis, un peu comme s'ils regardaient au travers d'une vitre de plus en plus sale.

Tout comme le phénomène de la dégénérescence maculaire, la formation des cataractes est reliée au stress oxydatif. Les antioxydants alimentaires comme la vitamine C sont efficaces pour diminuer l'incidence de sa formation. De la même façon, on a pu montrer qu'une alimentation riche en vitamine E diminuait de 42% le risque de formation des cataractes.

LES FRUITS ET LES LÉGUMES

Tous savent que le bêta-carotène, provenant de la carotte, transformé en vitamine A dans l'organisme, est favorable à une bonne vision. Par contre, il est beaucoup moins connu qu'il existe plus de 600 caroténoïdes (d'autres antioxydants de la même famille, contenus dans les fruits et les légumes jaunes, orangés, rouges et verts foncés). De ces 600, plus de 50 peuvent être transformés en vitamine A. Mais ce sont la lutéine et la zéaxanthine, deux caroténoïdes trouvés surtout dans les fruits et les légumes vert foncés, qui ne se transforment pas en vitamine A, qui sont les plus protecteurs de la macula: les recherches ont en effet démontré qu'une diète riche en fruits et en légumes verts foncés, orange, rouges et jaunes (brocoli, poivrons rouges, orange, jaunes et verts, abricots, oranges et autres fruits citrins, etc.) augmentait de façon significative la concentration en pigments de la macula (un signe de santé oculaire) en quatre semaines seulement. Il n'est jamais trop tard!

QUE PEUT-ON CONCLURE?

- Protéger ses yeux du soleil et éviter de fumer diminue le risque de dégénérescence de la macula et de cataractes.
- Une diète riche en fruits et légumes jaunes, rouges, orange et verts foncés est très efficace pour fournir aux yeux les anti-

oxydants nécessaires à la protection des cataractes et de la dégénérescence de la macula.

- Il n'est jamais trop tard. On peut toujours améliorer sa santé oculaire en incorporant à son alimentation une généreuse portion de fruits et de légumes de toutes les couleurs : plus il y en a et plus il y a d'antioxydants et de facteurs de protection.

Chapitre 9

Y a-t-il des moyens naturels de baisser l'hypertension ?

La nutrition joue un rôle important dans la régulation de la tension artérielle.

« Si nous retournions à la diète pour laquelle l'évolution nous a conçus, le problème de l'hypertension disparaîtrait[20]*. »*

Dr G.A. MacGregor

Étude après étude, le sel a été pointé du doigt comme responsable de l'épidémie d'hypertension dans les pays industrialisés.

D'autres facteurs diététiques, négligés dans notre diète « moderne », possèdent au contraire des vertus protectrices contre l'hypertension. Il s'agit du potassium, des fruits et des légumes.

Une diète plus « santé » (comme la diète méditerranéenne), comprenant moins de sel et plus de potassium obtenu par les fruits et les légumes, une réduction dans la proportion de gras en changeant les gras saturés pour des gras monoinsaturés (l'huile d'olive par exemple), une réduction dans la consommation de viande et de produits laitiers avec une augmentation de la consommation de poissons riches en acides gras oméga-3 aura bien sûr un effet positif sur l'incidence d'hypertension et diminuera aussi les autres facteurs de risque cardiovasculaire comme le cholestérol et l'intolérance au glucose.

Cette diète réduit l'incidence de la maladie cardiovasculaire et celle du cancer.

La diète est de très loin le facteur environnemental le plus important qui détermine la longévité, et ceux qui y aspirent devraient considérer un changement diététique.

Du point de vue de certains nutriments, plusieurs études l'ont démontré : l'ail, utilisé généreusement dans la cuisine méditerranéenne, réduit de façon significative l'hypertension, et même les gens dont la tension artérielle est normale peuvent en profiter, car ce végétal aide à maintenir la flexibilité des vaisseaux sanguins.

L'allicine, une composante de l'ail, serait responsable de ces vertus. Immédiatement, des « suppléments nutritifs », qui devaient guérir l'hypertension ont été mis sur le marché. C'est encore une fois le recours au remède miracle. Les entreprises d'« aliments naturels » utilisent la recherche médicale pour justifier la vente de suppléments, inutiles à mon sens. Une alimentation équilibrée aura beaucoup plus d'efficacité pour prévenir ou traiter des maladies que les « suppléments », ajoutés à une diète déficiente. La combinaison des divers éléments d'une alimentation santé décuple l'efficacité de chacun des éléments.

LES SUPPLÉMENTS ET LA BONNE CONSCIENCE

Les suppléments alimentaires, saupoudrés sur une alimentation déficiente et dangereuse pour la santé de type nord-américain, ne remplaceront jamais une diète équilibrée. Ils donneront tout au plus bonne conscience aux gens. Il faut plus que la bonne conscience pour conserver la santé.

QUE FAUT-IL RETENIR ?

- Une diète de type méditerranéen, riche en fruits, en légumes et en poissons, a un effet favorable sur l'hypertension, le cholestérol, la maladie cardiovasculaire et le cancer.
- Adopter cette diète est la façon la plus efficace de s'assurer d'une plus grande longévité.

Chapitre 10

La santé des os

En Amérique du Nord, une femme sur deux souffrira d'une fracture ostéoporotique. Il s'agit d'un problème majeur de santé que nous devons comprendre et traiter rapidement.

Pourtant, la perte de la masse osseuse est un phénomène normal du vieillissement... Ce phénomène « normal » peut être atténué et parfois même arrêté par un régime alimentaire adéquat. Cinq éléments sont importants ici :

- le calcium ;
- les vitamines D et K ;
- le sel ;
- les protéines ; et
- les éléments alkalinisants de la diète (le potassium, le magnésium, les fruits et les légumes).

Une diète riche en calcium ou une diète supplémentée en calcium **devrait** aider à neutraliser la perte en calcium associée à l'âge... Il faut toutefois choisir correctement ses sources de calcium ! En effet, l'endroit du monde où il se consomme le plus de calcium (l'Arctique) est aussi celui où les taux d'ostéoporose sont les plus importants et le tableau suivant, tiré de données des Nations Unies, montre que les pays où il se consomme le plus de calcium sont aussi ceux où il y a le plus de fractures ostéoporotiques et de décès secondaires. À l'inverse, ceux où il s'en consomme très peu ont une prévalence d'ostéoporose, de fractures et de décès secondaires beaucoup plus basse.

« La femme bantou d'Afrique est un exemple de bonne

santé. Sa diète ne comporte ni lait ni produit laitier et lui donne quand même de 250 à 400 mg de calcium par jour, de source végétale. Cette consommation représente à peu près la moitié de celle des femmes occidentales. Les femmes bantou ont fréquemment 10 bébés au cours de leur vie et nourrissent chacun au sein pour environ 10 mois. Malgré cette perte énorme en calcium et malgré un apport calcique relativement bas, l'ostéoporose est à peu près inconnue chez ces femmes.»

John McDougall, MD

On retrouve cette tendance non seulement en comparant divers pays entre eux (voir le graphique), mais aussi en comparant les habitudes de consommation des habitants d'un même pays: les chercheurs de la Nurses Health Study (un ambitieux projet épidémiologique de chercheurs de l'Université Harvard, dans lequel on a suivi un peu plus de 79 800 infirmières et infirmiers pendant 14 ans en leur faisant remplir régulièrement des questionnaires détaillés quant à leurs habitudes de vie) ont noté la corrélation suivante: les infirmières et les infirmiers qui buvaient le plus de lait — deux verres ou plus — souffraient plus de fractures que les autres. Leur risque de fracture du bras était augmenté de 1,05 fois et leur risque de fracture de la hanche était augmenté de façon très significative (1,45 fois).

Il ne faut pas en conclure qu'il faille diminuer la consommation de calcium aux taux consommés en Afrique et en Asie. Ce serait une erreur grave! Les besoins en calcium de l'organisme doivent être calculés en tenant compte d'autres variables. Et il faudra que l'on commence à considérer non seulement la quantité de calcium contenue dans un aliment ou un supplément, mais aussi son absorbabilité, extrêmement variable d'un aliment à l'autre et d'un supplément à l'autre (voir plus loin, p. 73).

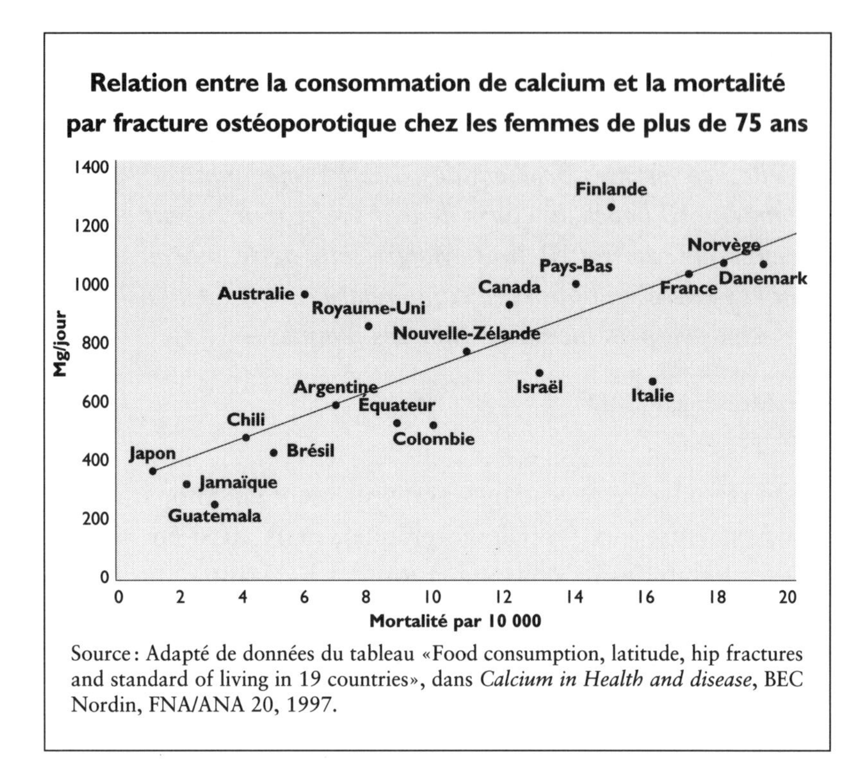

Relation entre la consommation de calcium et la mortalité par fracture ostéoporotique chez les femmes de plus de 75 ans

Source : Adapté de données du tableau «Food consumption, latitude, hip fractures and standard of living in 19 countries», dans *Calcium in Health and disease*, BEC Nordin, FNA/ANA 20, 1997.

« Plusieurs douzaines d'études démontrent, sans doute possible, qu'augmenter le calcium alimentaire augmente la masse osseuse. Par conséquent, insiste-t-on, les produits laitiers peuvent combattre l'ostéoporose. Après tout, le lait (de vache) est un ensemble de nutriments que la nature a développé pour permettre la croissance rapide des veaux. ***Mais une croissance rapide ne garantit pas une solidité à long terme. " L'étude de la densité minérale osseuse peut nous amener à tirer des conclusions fausses "*** *affirme Walter Willett, professeur à l'École de santé publique de l'Université Harvard et directeur du département de nutrition. " Ce qui est clair, c'est qu'une augmentation dans l'ingesta de calcium entraîne une petite augmentation ponctuelle de la densité minérale osseuse (environ 2%).*

Cependant, ceci ne s'additionne pas et disparaît lorsqu'on cesse la prise de supplément calcique. " La question est de savoir si le fait de maintenir cette légère augmentation de densité protégera des fractures.» (Traduction libre)

Walter Willet, professeur, Harvard School of Public Health, directeur du département de nutrition, cité dans Hivley W., « Worrying About Milk », *Discover*, vol. 21, no 8 (août 2000).

« Même si le calcium et d'autres nutriments du lait aident à la croissance de l'os, d'autres substances contenues dans le lait et d'autres aliments d'origine animale — certaines protéines et surtout le sodium — entraînent une perte calcique de l'os. »

T. Colin Campbell, biochimiste de la nutrition à l'Université Cornell.

Ne considérer que le calcium sans tenir compte des autres variables (activité physique, consommation de protéines, de fruits et de légumes...) est carrément désolant. Si, sans changer notre consommation de protéines et sans augmenter notre consommation de fruits et de légumes, pour ne nommer que ces deux facteurs, nous diminuons notre consommation de calcium aux niveaux ingérés en Asie et en Afrique, nous nous dirigeons vers un véritable « suicide osseux » et nous condamnons nos réserves à l'épuisement.

« On ne comprend pas complètement l'ostéoporose. »

T. Colin Campbell, biochimiste de la nutrition à l'Université Cornell.

La solution à l'apparente contradiction entre les différentes études sur l'ostéoporose se trouve dans le métabolisme du calcium : les humains ne sont pas des boîtes dans lesquelles on peut verser ce qui y manque sans tenir compte d'aucun autre élément. L'absorption du calcium varie selon la quantité de calcium absorbée : plus on ingère de calcium et moins l'absorption est efficiente. À l'inverse, moins on en consomme et plus l'absorption est efficace. Chez l'adulte, moins de la moitié du calcium est absorbée. Cette absorption varie selon la source de calcium et est augmentée de façon importante dans certaines circonstances : croissance rapide du squelette chez les enfants, grossesse... Et en présence de certains nutriments. À l'inverse, la présence d'autres nutriments réduit l'absorption du calcium ou en augmente les pertes.

Source de calcium	Pourcentage d'absorption
Légumes cuits (brocoli, choux de Bruxelles, chou chinois, chou vert, chou-fleur, chou frisé, chou rave, feuilles de moutarde, rutabaga, feuilles de navet, cresson)	50 à 70%
Lait	32%
Tofu	31%
Amandes, graines de sésame	21%
Fèves cuites (Pinto, rouges, rognons)	17%
Épinards cuits	5%*

*La faible absorption du calcium des épinards est due à leur grande concentration en oxalates.

Ces chiffres sont tirés des travaux du Dr Connie Weaver de l'Université Purdue, aux États-Unis. Cette « absorption fractionnelle » nous indique quelle proportion de calcium sera absorbée d'un aliment.

Le sel augmente les pertes en calcium... À chaque 100 mmol de sel absorbé, le corps perd 1 mmol de calcium. De fait, une simple restriction en sel réduit les pertes en calcium chez les femmes ménopausées. (La millimole [mmol] « mesure » un millième de mole, qui est une des sept unités de base dans le système métrique. Elle définit la quantité d'une substance donnée, atome, molécule, ion ou autre.)

En outre, plus on consomme de protéines animales et plus on perd de calcium. Revenons aux habitants de l'Arctique, les Inuits : ils habitent une région du globe où la rigueur du climat ne permet pas de culture végétale et où la diète est à 100% formée de protéines animales. Il faut aussi tenir compte du fait que leur consommation de vitamine D est aussi très basse, ce qui diminue l'absorption du calcium, alors que la richesse de la diète en protéines animales en augmente les pertes... Voilà pourquoi l'Arctique est l'endroit du monde où les taux d'ostéoporose sont les plus importants.

À part les Inuits, les sociétés où il se consomme beaucoup de calcium sont des pays riches où on peut manger un excès de protéines animales, qui « ... entraîne une perte osseuse par une stimulation acide de l'activité ostéoclastique de résorption osseuse (les ostéoclastes sont des cellules qui résorbent l'os) alors qu'un apport élevé en sel (souvent associé à une alimentation riche en protéines animales) entraîne une balance calcique négative en augmentant les pertes rénales en calcium... [De plus,] ... les diètes à haute teneur en protéines augmentent la perte en calcium de l'os parce que le corps a besoin du calcium pour neutraliser les produits acides du métabolisme des protéines excrétés dans l'urine »[21].

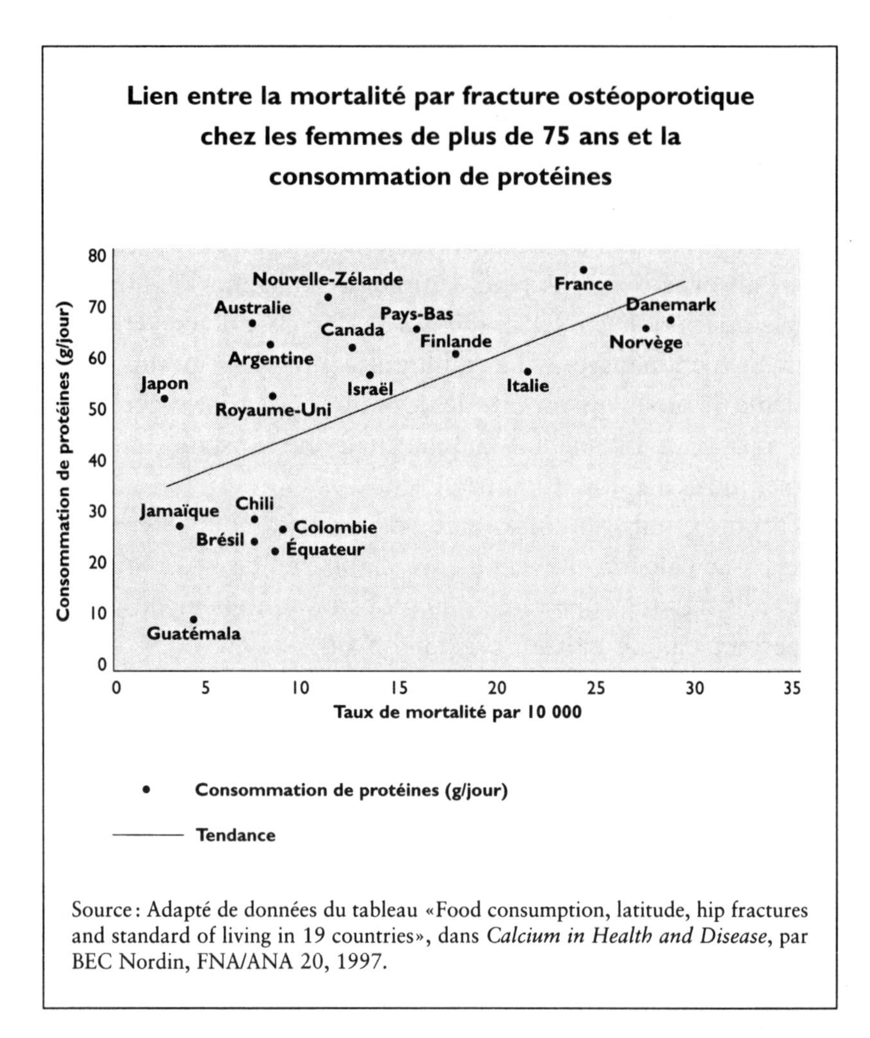

Source : Adapté de données du tableau «Food consumption, latitude, hip fractures and standard of living in 19 countries», dans *Calcium in Health and Disease*, par BEC Nordin, FNA/ANA 20, 1997.

« Cependant, l'impact total des diètes à haute teneur en calcium sur la densité osseuse est loin d'être clair. En fait, il existe une corrélation positive forte entre l'incidence des fractures de la hanche entre différents pays et la consommation per capita de calcium, les risques les plus bas se retrouvant dans les pays où la consommation est la plus basse, autour de 500 mg/jour[22]. Une explication possible de cette observation paradoxale est que les protéines animales, provenant de diètes élevées en viandes et en produits laitiers, augmentent la perte osseuse en augmentant la production endogène d'acide, qui induit une mobilisation des sels de calcium de l'os. Cette relation peut être importante, puisqu'on a démontré que doubler les protéines de la diète augmente le calcium urinaire de 50%[23]. » Ce qui explique que les femmes de pays en développement, dont les revenus ne permettent pas de consommer autant de protéines animales que les femmes des pays industrialisés sont relativement protégées de l'ostéoporose par cette carence relative en protéines animales[24].

La consommation d'une quantité excessive de protéines accélère l'ostéoporose, quoique ce phénomène puisse être ralenti (mais pas renversé) en augmentant l'apport en calcium et en fournissant d'autres sources pour tamponner l'acide des sous-produits du métabolisme des acides aminés (les blocs de construction des protéines) — comme les minéraux trouvés dans les fruits et les légumes — rarement inclus dans une diète à haute teneur en protéines[25]...

Il faut évidemment consommer une certaine quantité de protéines pour remplacer celles que nous détruisons chaque jour. Mais nous ne détruisons que 30 à 50 g quotidiennement... Ce qui correspond au volume d'une petite saucisse par vingt-quatre heures. On est bien loin de ce que nous avalons!

On ne recommande pas une alimentation déficiente en protéines ou du type Tiers monde... On recommande plutôt de limiter les quantités de protéines animales que nous ingurgitons chaque jour.

Plusieurs croient que les protéines supplémentaires consommées serviront à bâtir leur musculature. C'est faux. Une fois comblés les besoins en protéines, l'excédent passe par le foie et est métabolisé soit en énergie, soit en glycogène (une forme de sucre), soit en gras. Ce métabolisme libère des « déchets » acides qui passent aux reins et acidifient l'urine. Les reins utilisent alors des minéraux alkalinisants, comme le calcium, pour neutraliser cet excès d'acide. On peut bien sûr diminuer cette perte en calcium en consommant avec nos protéines de grandes quantités de fruits et de légumes, qui fournissent alors à l'organisme d'autres minéraux alkalins qui peuvent être utilisés par les reins pour neutraliser les déchets acides. Attention: le mode de cuisson de ces légumes est important. Trop souvent, les gens font bouillir leurs légumes et jettent l'eau de cuisson... Ce qui équivaut à manger la boîte de céréales et à jeter les céréales ! Lorsqu'on se débarrasse de l'eau de cuisson, on jette les minéraux nécessaires à notre corps. Les modes de cuisson recommandés sont le sauté à l'asiatique, la cuisson à l'autocuiseur et la cuisson à la marguerite dans un minimum d'eau (à la vapeur).

Il semble y avoir un autre phénomène qui joue un rôle majeur dans l'induction de l'ostéoporose: la consommation de protéines animales augmente évidemment la quantité de gras animaux (cholestérol et gras saturés) dans l'organisme. Or une étude très récente[26] montre qu'en 7 mois, des souris nourries avec une diète à haute teneur en gras présentaient une diminution de 43% du contenu minéral de leurs os et une diminution de 15% de la densité de leurs fémurs. Les chercheurs croient que le gras inhibe la formation d'os nouveau, en empêchant les cellules souches osseuses (ostéoblastes) de se différencier.

La physiologie des os des individus en croissance est très différente de celle des os des jeunes adultes et que celle des individus passée la ménopause. Lorsqu'on compare des jeunes femmes à des fillettes, on se rend compte que les fillettes absorbent plus de calcium de leur alimentation, en excrètent moins dans leur urine et en déposent plus dans leur squelette. À des charges calciques identiques, les fillettes sont en balance positive et les jeunes femmes déjà en balance négative.

Ces phénomènes expliquent l'inefficacité de la supplémentation en lait après l'âge de 24 ans. (Hommes et femmes construisent leur squelette jusqu'à cet âge et il est prouvé que la consommation de lait jusqu'à 24 ans est associée à un squelette plus fort.)

Après cet âge (sauf pour la grossesse), la supplémentation en lait est inefficace. Le tableau qui suit, adapté du *American Journal of Clinical Nutrition*[27], le prouve d'ailleurs. Même en supplémentant la diète de femmes postménopausées avec 375 ml de lait (3 verres) chaque jour pendant 2 ans, la balance calcique finale demeure négative. En d'autres mots, *le lait et les produits laitiers créent une perte en calcium qui neutralise ce qu'ils apportent au corps.* Ajoutons que, dans cette étude, le lait constituait la seule supplémentation en calcium de la diète de ces femmes.

Un déficit en vitamine D (même occulte) cause une perte osseuse rapide et augmente le risque d'ostéoporose. Ce qui est évidemment un facteur important dans le problème de l'ostéoporose des populations inuites.

Faut-il alors supplémenter ? Plusieurs femmes qui présentent une fracture de la hanche souffrent d'un déficit occulte en vitamine D. Il faut donc, dans les régions où l'ensoleillement est insuffisant ou chez les femmes qui ne peuvent s'exposer au soleil (certaines femmes voilées en pays musulmans par exemple) les supplémenter en calcium pour obtenir une consommation totale de 1000 à 1200 mg par jour au total et en vitamine D, bien avant la ménopause, pour augmenter la masse osseuse et réduire le risque d'ostéoporose.

La consommation d'une diète riche en magnésium et en potassium et en vitamine K (donc riche en fruits et en légumes) est

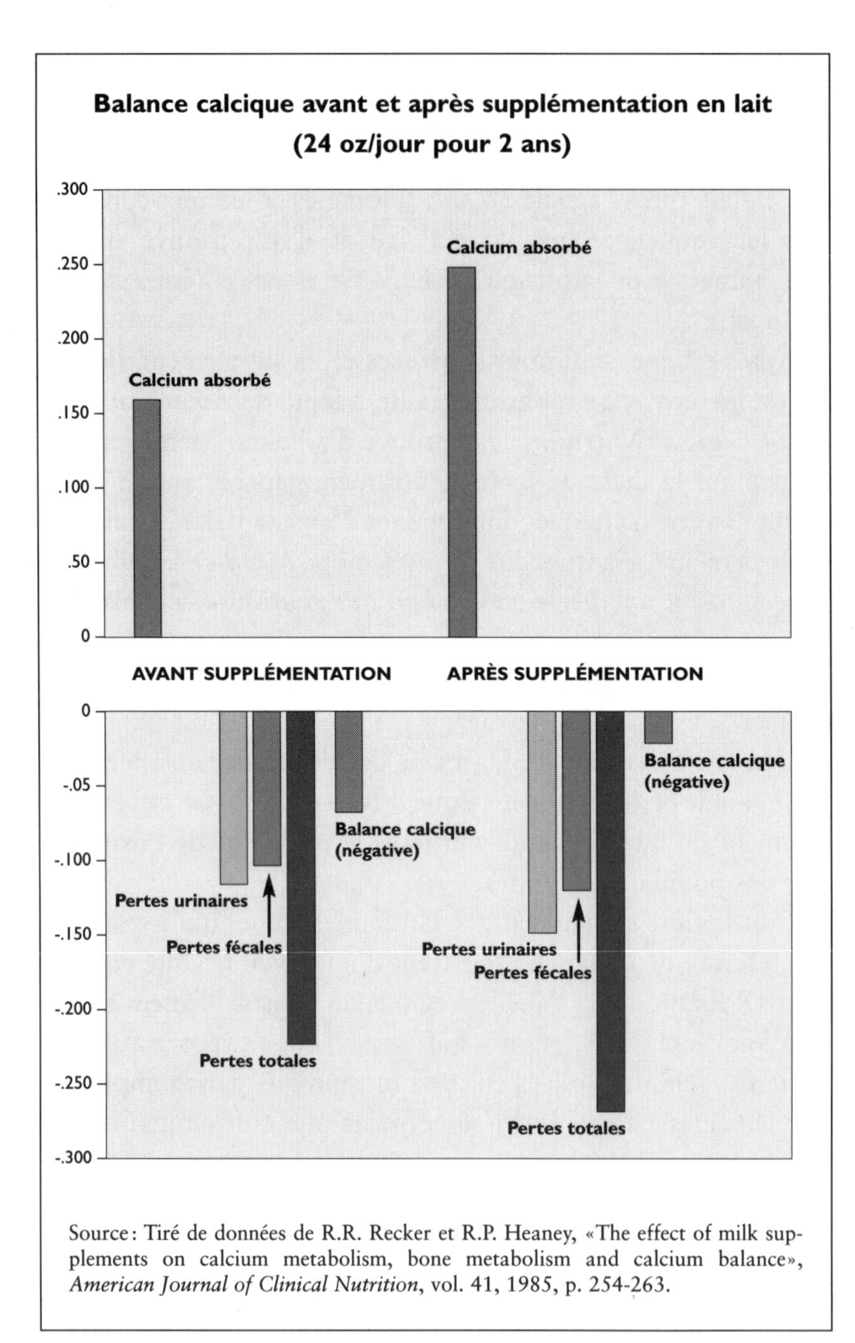

Source : Tiré de données de R.R. Recker et R.P. Heaney, «The effect of milk supplements on calcium metabolism, bone metabolism and calcium balance», *American Journal of Clinical Nutrition*, vol. 41, 1985, p. 254-263.

associée avec une meilleure fixation du calcium dans les os.

ENCORE PLUS SUR LES SUPPLÉMENTS POUR LES VICTIMES D'OSTÉOPOROSE

Les humains étant ce qu'ils sont, il est parfois difficile d'obtenir certains changements alimentaires pourtant nécessaires. De plus, dans les pays industrialisés, une proportion trop importante des femmes de 50 ans et plus souffre déjà d'ostéoporose.

Dans le cas de ces femmes, on a beau vouloir en diversifier les sources et consommer de grandes quantités de calcium de source végétale, les quantités nécessaires pour renverser la vapeur sont souvent trop importantes pour qu'on se fie essentiellement au calcium alimentaire. C'est ici qu'il devient intelligent de se supplémenter. Mais pas avec n'importe quoi ! Les suppléments calciques ne sont pas tous égaux dans leur capacité à être absorbés et dans leur toxicité !

La capacité d'absorption

Pour qu'une personne de moins de 50 ans, souffrant déjà d'ostéoporose, qui ne prend pas d'antacides, d'inhibiteur de la pompe à protons (connus sous les noms de Losec, Pantoloc et Prévacid) ou de bloqueurs H2 comme le Zantac, un supplément de carbonate de calcium avec vitamine D, magnésium et minéraux traces est parfait.

Mais après 50 ans, la sécrétion d'acide de l'estomac diminue de façon significative. Elle est aussi énormément diminuée avec la prise des médicaments nommés précédemment. Dans ce cas, le carbonate de calcium devient difficile à absorber, surtout s'il est consommé à jeun. Dans le meilleur des cas, son absorption diminuera de 90%. Cette diminution de l'absorption sera aussi associée à de la constipation opiniâtre, en raison du passage du calcium dans les selles. Le phénomène est heureusement annulé en grande partie lorsque le calcium est consommé avec de la nourriture.

Il devient alors préférable de consommer un supplément de citrate de calcium, beaucoup plus facilement assimilé par l'organisme[28] ou de toujours prendre son calcium avec de la nourriture. Cette information est méconnue de plusieurs médecins. Si vous en avez les moyens (le seul calcium remboursé par l'assurance gouvernementale est le carbonate), insistez pour obtenir la formule de calcium qui convient à votre état. C'est dans vos os que vous voulez votre calcium... Pas dans vos selles ou dans vos urines !

Se supplémenter ou s'empoisonner (?)

On savait depuis plusieurs années que certains suppléments calciques contenaient du plomb en importantes quantités. C'est pourquoi, jusqu'à très récemment encore, les médecins suggéraient à leurs patients d'éviter les suppléments calciques d'origine naturelle. Une recherche américaine vient d'ébranler cette certitude, même pour les suppléments raffinés[29].

En effet, ces chercheurs ont retrouvé des traces non négligeables de plomb, non seulement dans des suppléments calciques (carbonate de calcium) de source naturelle, mais aussi dans des suppléments raffinés de carbonate de calcium.

Quatre des sept produits étudiés d'origine naturelle « fournissent » entre 1 et 2 microgrammes par jour de plomb par 2 comprimés, ou 1500 mg de calcium, et jusqu'à 10 microgrammes par jour aux doses utilisées en dialyse rénale. Quatre des quatorze produits raffinés de carbonate de calcium « fournissent » même plus de plomb, jusqu'à 3 microgrammes aux doses utilisées pour traiter l'ostéoporose et jusqu'à 20 aux doses de dialyse. La limite « tolérable » permise a été fixée entre 6 et 10 microgrammes par jour. Aucun plomb n'a été détecté dans le supplément étudié d'acétate de calcium ni dans le produit polymère synthétique. Les auteurs soulignent même qu'il peut exister une variabilité non négligeable de lot à lot, ce qui fait que la quantité de plomb contenue peut varier de façon assez importante selon les lots d'une même marque.

QUE FAUT-IL CONCLURE ?

- L'ostéoporose affectera une femme sur deux en Amérique du Nord. Le meilleur traitement demeure la prévention alimentaire. Plusieurs facteurs sont en jeu, dont bien sûr le calcium, mais aussi d'autres éléments dont le magnésium, le potassium, les fruits et les légumes et une consommation *modérée* de protéines et de sel, de façon à diminuer les pertes en calcium. La consommation de lait reste importante, seulement jusqu'à l'âge de 24 ans, après quoi la teneur en protéines du lait est telle que cette concentration induit une perte plus grande que son apport. L'idée n'étant évidemment pas d'éliminer le lait (à moins d'allergie ou d'intolérance) mais de varier ses sources de calcium. Finalement, l'activité physique et un apport suffisant en vitamine D sont essentiels à l'absorption et à la fixation du calcium dans l'os.
- Dans le cas d'une ostéoporose déjà installée, la supplémentation en calcium est nécessaire. Il est cependant important de choisir le supplément qui convient à l'âge et à l'état de santé et d'éviter les suppléments qui contiennent du plomb. Tous les suppléments de calcium ne sont pas identiques !

Chapitre 11

La santé des articulations

L'arthrite... Ou plutôt « les arthrites »... Ce sont des conditions caractérisées par une inflammation importante des articulations et qui s'accompagnent de symptômes multiples : rougeur, chaleur, gonflement, raideur importante et, éventuellement, dégénérescence des surfaces articulaires et destruction des articulations.

Cette famille de conditions inflammatoires est très large et comprend des maladies tels l'arthrite rhumatoïde, la spondylite ankylosante, l'arthrite psoriasique et le lupus érythémateux.

La plupart des médecins vous diront que l'arthrose est une « partie ennuyeuse mais normale du vieillissement » et que la goutte, causée par le dépôt de cristaux d'urate dans les articulations, est reliée à la consommation d'aliments riches en purines, des substances présentes dans la viande et les aliments riches en protéines.

Les mêmes médecins ajouteront que les autres arthrites n'ont strictement rien à voir avec la nourriture. Rien. Elles sont HÉRÉDITAIRES. Point final.

Heureusement, la recherche épidémiologique semble leur donner tort et il existe de plus en plus de preuves qu'on peut améliorer de façon importante l'état des articulations de plusieurs victimes de l'arthrite, simplement en changeant leur diète. Ce qui est rassurant, compte tenu de la toxicité des médicaments utilisés pour soulager et traiter l'arthrite. On peut penser au simple Tylénol, utilisé en première ligne. À doses élevées, il est toxique pour le foie. Cette toxicité augmente avec la consommation d'alcool et, quoiqu'un adulte de taille moyenne puisse habituellement consommer de façon sécuritaire jusqu'à 8 comprimés de 500 mg par jour, on a rapporté une toxicité hépatique sévère à des doses de 4 à 10 grammes par 24 heures (de 12 à 30 comprimés)[30].

Les médicaments de deuxième ligne ne sont guère mieux. Les anti-inflammatoires classiques empêchent la formation de substances appelées prostaglandines. Mais il y a plusieurs types de prostaglandines : certains entretiennent l'inflammation, d'autres protègent l'estomac. D'autres servent même à réparer le cartilage ! Les anti-inflammatoires inhibent toutes ces prostaglandines. Ils causent donc des problèmes majeurs à l'estomac et accélèrent même le phénomène de destruction articulaire, ce qui est l'opposé de ce qu'ils devraient faire[31] ! Sans parler des effets secondaires des autres médicaments (pénicillamine, prednisone, sels d'or, etc.) utilisés pour traiter l'arthrite dont nous ne parlerons pas ici.

Quoique les nouveaux anti-inflammatoires (les COX-2) soient beaucoup plus spécifiques pour les articulations, ils peuvent aussi — quoique plus rarement que les autres — causer des problèmes d'estomac et des troubles de la coagulation.

Et si le corps médical avait tort ? S'il existait un lien avec l'alimentation ? Si on pouvait non seulement prévenir, mais traiter l'arthrite par l'alimentation, combien de souffrances pourrions-nous épargner aux gens ?

Voici ce que l'épidémiologie nous apprend.

- Selon le Dr John McDougall (*New Food Cures For Arthritis and Osteoporosis*), l'arthrite inflammatoire est beaucoup plus fréquente dans les pays riches — États-Unis et Canada, Europe de l'Ouest, Australie et Nouvelle-Zélande, des pays où l'alimentation est riche en protéines, en gras et en produits laitiers. Au contraire, on retrouve beaucoup moins d'arthrite dans les pays d'Afrique et d'Asie où les gens consomment encore une alimentation traditionnelle basée surtout sur les plantes[32].

- L'arthrose, considérée un phénomène « normal » d'usure articulaire, est rare en Asie et en Afrique, pourtant là où les articulations des gens subissent beaucoup plus d'agressions à leurs articulations que dans les pays développés, en raison du manque d'industrialisation[33].
- Dans ces pays d'Asie et d'Afrique, les gens qui adoptent un style de vie et un régime alimentaire de type nord-américain développent plus d'arthrite. Les Asiatiques et les Africains qui émigrent dans les pays de l'Ouest et en adoptent le régime alimentaire développent plus d'arthrite que leurs parents demeurés au pays[34].

Le docteur McDougall, interniste en Californie, a formulé l'intéressante hypothèse suivante[35] : selon lui, le corps de certaines personnes réagirait à la présence des protéines en les reconnaissant comme « étrangères » et produirait des anticorps pour les détruire. Ces anticorps se combineraient aux protéines animales pour former des « complexes-immuns ». Ces complexes immuns se fixeraient aux articulations et y causeraient une réaction inflammatoire importante.

Une autre hypothèse possible concerne simplement la diminution des acides gras saturés d'origine animale de l'alimentation. Moins il y aurait de gras saturé et moins il y aurait d'inflammation articulaire.

Plusieurs recherches ont étudié la relation entre les changements alimentaires et l'évolution de l'arthrite. Une des plus intéressantes a été publiée dans la revue britannique *The Lancet*[36] et montre que presque la moitié des arthritiques qui passent d'une diète carnée à une diète végétarienne voient diminuer en un mois leurs symptômes d'arthrite de façon importante.

Cette étude est corroborée par les résultats du docteur McDougall à l'hôpital St.Helena, en Californie : en éliminant toutes les protéines animales, y compris les produits laitiers, les mêmes résultats sont obtenus en quelques semaines.

Attention : une source adéquate de protéines complètes est nécessaire. (Voir à cet effet le Chapitre 16, p. 112.) Il serait important de consulter une nutritionniste pour éviter des déficits nutritionnels — le plus fréquent étant la déficience en vitamine B12, déficit facilement corrigé par un supplément.

QUE FAUT-IL RETENIR ?

- La diète peut avoir un impact majeur sur l'arthrite rhumatoïde et sur les autres arthrites.
- Le passage à une diète végétarienne stricte, sans protéines animales ni produit laitier, entraîne chez presque la moitié des patients une diminution remarquable de leurs symptômes et de l'inflammation de leurs articulations.
- Même si l'approche alimentaire ne peut pas guérir tous les cas d'arthrite, elle reste facile et sans danger et complète très bien l'approche médicale traditionnelle.

Chapitre 12

Et le cancer?

Un Canadien sur 2,4 (un peu plus de 41%) développera un cancer au cours de sa vie. Un sur 3,7 (27%) en mourra. Après les maladies cardiovasculaires, le cancer constitue la deuxième cause de mortalité au Canada. Les chiffres sont hallucinants: on parle de 2,2 nouveaux diagnostics de cancer du sein à chaque heure et de 1,8 nouveau diagnostic de cancer de la prostate à chaque heure[37].

Environ 50% de l'incidence de cancer et 35% de la mortalité due au cancer en Amérique du Nord sont causés par les cancers du sein, de la prostate, de l'ovaire, de l'endomètre et du côlon, cancers qui sont directement associés par les spécialistes à la diète nord-américaine.

La nutrition contribue à 35% de l'incidence de la mortalité de cancer. Le tabac, responsable de 30% de la mortalité due au cancer, en constitue le deuxième facteur de risque. On estime que les infections sont responsables de 10% de la mortalité par cancer et les comportements sexuels causent quant à eux 7% de la mortalité par cancer. Les facteurs environnementaux viennent loin derrière, avec 4% pour le type d'occupation et 3% pour les facteurs géophysiques.

Les Asiatiques, par exemple, peu affectés par le cancer colorectal en Asie, en ont autant que les Américains une fois émigrés aux États-Unis. Les études épidémiologiques attribuent ce changement aux modifications du style de vie et à une alimentation qui privilégie les graisses animales au détriment des fibres.

Comment diminuer son risque de cancer colorectal ? La réponse est simple : il faut réduire la consommation de gras animal (sauf ceux des poissons gras) et augmenter la consommation de fruits, de légumes et de légumineuses, riches en fibres et en antioxydants protecteurs.

Il est essentiel aussi d'éviter certains types de cuisson : lorsque le gras est brûlé lors de la cuisson au BBQ ou lorsque des aliments sont frits dans un gras qui a été chauffé plusieurs fois, il y a production de substances appelées hydrocarbones polycycliques, substances fortement cancérigènes. Il faut aussi éviter le plus possible de consommer les viandes fumées, riches en nitrites qui réagissent avec des protéines dans l'organisme pour former des carcinogènes.

Une hypothèse, formulée dans les années 1970 par Denis Burkitt et Hugh Trowell, suggérait même que la majorité des maladies chroniques qui touchaient la civilisation occidentale, incluant le cancer du côlon, étaient dues à un manque de fibres dans la diète. Pourtant, une étude récente publiée dans le très prestigieux *New England Journal of Medicine* n'a pas trouvé de relation entre la consommation de fibres et le cancer du côlon. Qu'en est-il vraiment ?

Il faut d'abord comprendre que l'hypothèse selon laquelle les fibres protégeaient du cancer a été formulée à partir de l'étude de la diète des paysans d'Ouganda, extrêmement riche en fibres (plus de 100 g par jour, avec très peu de gras saturés). L'étude du *New England Journal of Medicine* n'a comparé, pour sa part, que des différences minimes dans les quantités de fibres (soit 25 à 30 g pour une diète « pauvre en fibres » de 2000 kcal par rapport à 36 g pour une diète « riche en fibres » avec le même nombre de calories).

On peut donc postuler que l'hypothèse de la protection du cancer par les fibres alimentaires puisse toujours être vraie, en autant que l'on respecte les principes de la diète des paysans ougandais : très grande consommation de fibres et faible consommation de viandes rouges et de calories totales. (Les viandes rouges et une grande consommation de calories ont été associées à une augmentation de l'incidence du cancer.)

D'autres ont émis une hypothèse différente : ils croient que les fibres ne sont pas le principe actif qui protège du cancer du côlon. Ils postulent que ce serait l'acide folique, qui accompagne les fibres dans les fruits et les légumes, qui en sont responsables. Une étude a d'ailleurs montré que la supplémentation en acide folique d'une diète « normale » réduisait l'incidence du cancer du côlon sur 15 ans.

Pourtant, même une augmentation modeste des fibres consommées est bénéfique : plusieurs études ont démontré que les régimes les plus élevés en fibres, *associés à la consommation de fruits et de légumes et non pas consommée séparément*, diminuent de façon significative le risque de diabète et de maladie cardiaque. Cela est plus que suffisant pour recommander d'augmenter la consommation de fibres en augmentant la consommation de fruits, de légumes[38] et de légumineuses, exactement comme dans la diète méditerranéenne.

QUE FAUT-IL RETENIR ?

- Les cancers du sein, de la prostate, de l'ovaire, de l'endomètre et du côlon sont directement associés à la diète nord-américaine par les spécialistes.
- En diminuant sa consommation de viandes rouges et en augmentant sa consommation de fruits, de légumes et de légumineuses, on diminue de façon importante le risque de développer ces cancers.
- Quoique les spécialistes ne soient pas certains du mécanisme exact qui protège du cancer, en augmentant la consomma-

tion de fruits, de légumes et de légumineuses (est-ce l'augmentation de la consommation de fibres, l'augmentation de la consommation de certaines vitamines et de certains « phytofacteurs », la diminution des substances cancérigènes contenues dans la viande), il semble beaucoup plus intelligent d'augmenter sa consommation de fruits, de légumes et de légumineuses, plutôt que de consommer un supplément, dont l'action ne peut être que partielle et qui ne diminuera en rien le contact avec les substances cancérigènes.

Partie III

DU VIN, DE L'HUILE ET D'AUTRES NUTRIMENTS

Chapitre 13

L'alcool, la maladie cardiaque et le paradoxe français

LE CONCEPT DU PARADOXE FRANÇAIS

En 1819, un médecin irlandais, le docteur Samuel Black, a noté que les Français semblaient moins souffrir de la maladie cardiovasculaire que les Irlandais. Il a attribué cette disparité aux « habitudes de vie des Français, en conjonction avec la douceur de leur climat et le caractère particulier de leur moral[39] ».

Quelque 160 ans plus tard, les premières données statistiques ont montré qu'il y avait moins de maladies cardiovasculaires chez les buveurs de vin que chez les buveurs de bière ou de boissons fortes et que chez les gens qui ne consommaient pas d'alcool du tout.

Quoique d'autres aient mis en évidence le phénomène avant lui, le docteur Serge Renaud, cardiologue français, invité en novembre 1991 à l'émission *60 minutes* de CBS, a commenté le curieux phénomène suivant, mis en évidence en comparant les taux de mortalité par maladie cardiovasculaire entre différents pays industrialisés : le pays occidental avec les taux les plus bas était la France, malgré des habitudes très peu « santé » qui combinaient le tabac, la nourriture riche en gras et une forte répugnance à l'activité physique. Comme d'autres avant lui l'avaient fait, il a expliqué ce « paradoxe français » par la consommation de vin rouge !

Une des meilleures définitions de ce paradoxe français a été donnée par le docteur Richard, dans son article sur les facteurs de risque coronarien, publié en 1987.

« L'apport diététique en lipides des Français est semblable à celui des citoyens des pays où on retrouve un haut taux de mortalité coronarien. Le paradoxe français consiste dans le contraste entre la consommation d'une nourriture riche en acides gras saturés et un taux modéré de mortalité coronarienne, assez semblable à celui observé dans les pays de la Méditerranée où l'ingesta de gras dans la diète est beaucoup plus bas qu'en France[40]. »

L'information devenant publique, sa déclaration a fait l'effet d'une bombe : juste un an auparavant, l'office américain des alcools et des armes à feu avait déclaré que le vin n'était pas recommandé pour prévenir la maladie cardiaque. Les membres de cet office ont donc sommé Dr Renaud de s'expliquer... Ce qu'il a fait en 1992 dans la revue *The Lancet*[41].

En fait, il n'était pas le premier, loin de là, à soupçonner un effet positif de l'alcool sur la santé cardiovasculaire. Plusieurs articles avaient été publiés avant le sien et bien d'autres l'ont été depuis.

Tous vont dans le même sens : l'analyse de la relation entre la consommation d'alcool (tous les alcools) et la maladie cardiaque permet de conclure qu'il existe une courbe en U du risque cardiaque[42]...

Le risque diminue jusqu'à deux ou trois consommations par jour pour les femmes et trois ou quatre pour les hommes, pour augmenter par la suite très rapidement. Il faut ici définir une « consommation » : chaque personne a vis-à-vis de l'alcool une tolérance différente. Les quantités qui peuvent être consommées dépendent de plusieurs variables : le poids, le sexe et l'âge, par exemple. La modération pour les femmes se situe à environ un peu plus de la moitié de la consommation des hommes, en raison de leur corpulence moindre et d'une dégradation plus lente de l'alcool par les enzymes de leur foie. On a défini pour les hommes une consommation modérée au-dessous de 50 grammes d'alcool par jour, soit au-dessous d'un demi-litre de vin à 12% d'alcool par jour. En verres, cela correspond à 3 ou 4 verres de 80 ml par jour pour les hommes et 2 à 3 verres de 80 ml pour les femmes.

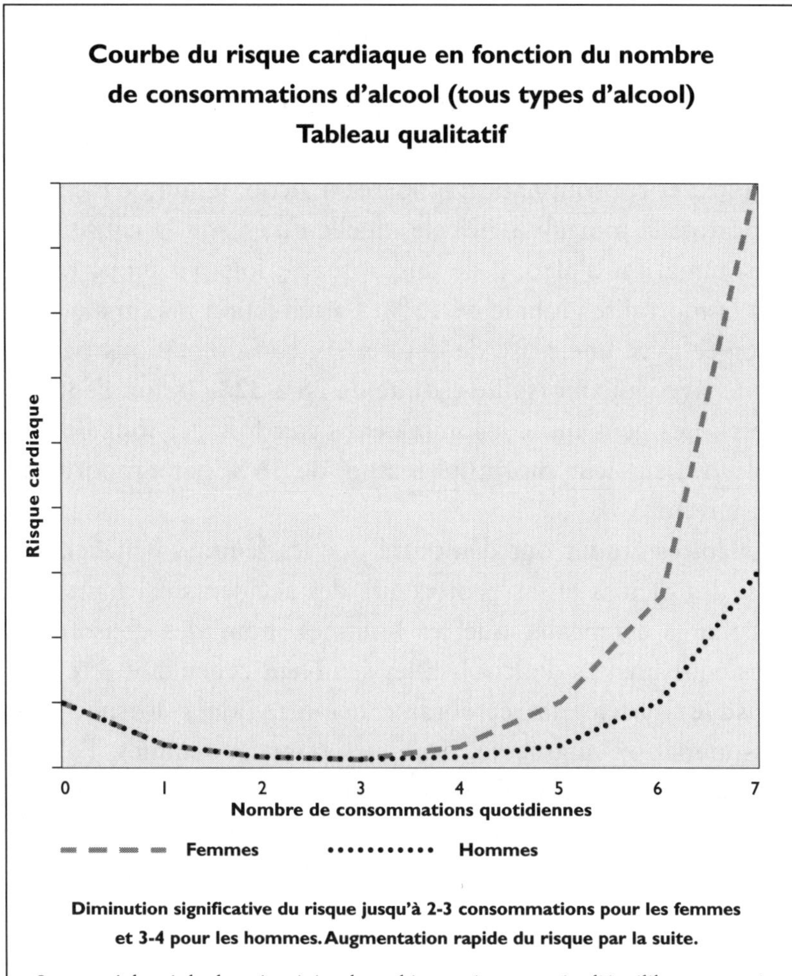

Diminution significative du risque jusqu'à 2-3 consommations pour les femmes et 3-4 pour les hommes. Augmentation rapide du risque par la suite.

Source : Adapté de données tirées des cahiers « vin et santé – l'équilibre au quotidien » et des travaux du docteur Morten Gronbaek, directeur du Centre danois d'épidémiologie, Institut de Médecine préventive, à Copenhague.

Comme la consommation de la plupart des boissons alcooliques entraîne une élévation du HDL (le « bon » cholestérol) et prévient l'agrégation des plaquettes, tout en favorisant la fibrinolyse (autrement dit, tous les alcools empêchent les plaquettes de coller ensemble et favorisent la dissolution des caillots), cela crée probablement un effet cardioprotecteur.

ÉTUDES ÉPIDÉMIOLOGIQUES

Les études épidémiologiques[43] arrivent toutes aux mêmes conclusions : la consommation modérée d'alcool réduit de façon significative la mortalité globale, quelle qu'en soit la cause. Une consommation d'alcool, de une à quatre fois par mois, réduit déjà la mortalité globale de 15%. La réduction maximale a été observée avec une prise de deux à six consommations par semaine, avec une mortalité réduite de 28 à 32% (selon l'âge des sujets). Les gens qui consommaient deux fois par jour de l'alcool voyaient leur mortalité réduite de 16% par rapport aux non-buveurs.

D'autres études ont démontré que les femmes bénéficiaient aussi des mêmes effets protecteurs des accidents cardiaques et vasculaires cérébraux que les hommes, pour des consommations équivalentes d'alcool. Elles semblent cependant être plus à risque d'accidents cérébraux hémorragiques lorsque leur consommation augmente. Toujours pour les femmes, l'alcool stimule la production de l'œstradiol, dont la production cesse naturellement à la ménopause et a donc un effet intéressant pour la prévention des bouffées de chaleur associées à cette période.

QUELQUES INTERROGATIONS

Certains ont soulevé la possibilité d'un biais statistique (autrement dit, ils ont pensé que les effets positifs de l'alcool sur la santé pouvaient être dus à d'autres facteurs).

En fait, on pensait que certaines des personnes qui ne consommaient pas d'alcool pouvaient simplement ne pas en prendre parce qu'elles ne le toléraient pas et avaient une santé plus fragile, qui augmentait leur risque de mortalité.

L'analyse épidémiologique montre que plusieurs parmi les non-consommateurs d'alcool ont effectivement une santé plus fragile que celle des consommateurs. Mais même en tenant compte de ce facteur, l'analyse statistique demeure la même : l'alcool, **consommé raisonnablement**, a des propriétés cardio-protectrices remarquables. Les bénéfices dus à la consommation de vin rouge viennent en effet seulement lorsqu'il y a consommation **raisonnable** (voir la définition donnée précédemment) et **régulière** de vin aux repas. Il est même dangereux de concentrer sa consommation d'alcool les fins de semaine : une consommation irrégulière d'alcool entraîne en effet un mécanisme biologique qui peut entraîner des accidents cardiaques. Essentiellement, en période de « sevrage », les plaquettes deviennent hyperréactives, ce qui peut provoquer des thromboses partout dans les vaisseaux sanguins et explique le nombre élevé d'accidents cardiaques en début de semaine dans les pays où la consommation d'alcool est concentrée les fins de semaine.

Ces propriétés cardioprotectrices du vin protègent même dans l'insuffisance cardiaque d'origine ischémique (l'ischémie se produit lorsqu'un vaisseau artériel est bouché et que la zone qu'il dessert manque de sang et d'oxygène.) Cette protection de l'insuffisance cardiaque ne s'applique évidemment pas dans l'insuffisance d'origine alcoolique, associée à une consommation très importante d'alcool. Chez les insuffisants cardiaques d'origine ischémique, les gens qui consomment de l'alcool de façon modérée ont une incidence de décès inférieure à celle des gens qui ne consomment aucun alcool[44].

PLUS SUR LE VIN ROUGE

En plus de posséder les mêmes effets cardioprotecteurs que les autres alcools, le vin rouge a beaucoup d'autres effets. Ses propriétés cardioprotectrices uniques sont expliquées par le fait qu'il contient des flavonoïdes. Ces flavonoïdes sont des substances végétales antioxydantes que la vigne produit pour se défendre contre les agressions, notamment celles des champignons.

Les climats septentrionaux sont particulièrement aptes à stimuler la production de resvératrol (un flavonoïde) par la vigne et les cépages Pinot noir et Pinot blanc sont ceux qui sont les plus riches en composés polyphénoliques — les flavonoïdes du vin sont appelés polyphénols dans le jargon de la chimie du vin —, ce qui explique la richesse en polyphénols des vins de Bourgogne.

On retrouve aussi des flavonoïdes du raisin dans le champagne, mais seulement de façon minimale dans le vin blanc. La raison en est simple : la couleur du vin n'est pas secondaire à la couleur du raisin utilisé, mais dépend plutôt du temps de contact entre le moût du vin et la pelure des raisins. Le vin rouge est celui où le moût reste le plus longtemps en contact avec la pelure. Comme les composés phénoliques se trouvent concentrés dans la pelure du raisin, ce temps de contact explique qu'on retrouve 2000 à 4000 mg/l de composés phénoliques dans le vin rouge et seulement 100 à 500 mg/l dans les vins blancs[45].

Les polyphénols étudiés à date sont le resvératrol et la quercetin[46] (l'étude de cette substance a démontré qu'elle possédait des propriétés antimutagènes, anticancéreuses, antimicrobiennes, antithrombotiques et antiallergiques). Les deux donnent au vin rouge des propriétés antioxydantes supérieures à celles de l'apha-tocophérol (la vitamine E). Le jus de raisin ne contient que la moitié des flavonoïdes par volume que le vin rouge.

Chose fascinante, les polyphénols du vin (et du raisin) ont une action remarquable, supérieure à celle de l'alcool, pour empêcher l'agrégation plaquettaire (ils empêchent les plaquettes de coller ensemble et empêchent donc les thromboses des artères). Lorsqu'on compare le jus de raisin à d'autres jus de fruits, il est le seul à posséder cette particularité.

La protection de l'Alzheimer

L'effet favorable des polyphénols du vin va bien au-delà de la protection de la maladie cardiovasculaire. Des études conduites à l'Université de Bordeaux suggèrent que l'action anti-inflammatoire et antioxydante des polyphénols du vin lui donne aussi une capacité de protection contre l'Alzheimer. (Le resvératrol aurait, à des concentrations de l'ordre de la micromole — c'est-à-dire à l'état de trace — la capacité de favoriser l'activation des neurones.)

La protection du cancer

Le resvératrol possède même des propriétés anticancéreuses en bloquant une enzyme qui intervient dans la synthèse de l'ADN (le plan de construction génétique) des cellules cancéreuses, ce qui rend le vin unique : alors que tous les autres alcools sont à incriminer dans la genèse des cancers des voies digestives en relation avec une irritation locale, à doses équivalentes d'alcool, le vin est beaucoup moins cancérigène que tous les autres alcools. Cet effet protecteur s'annule cependant au-delà de trois verres par jour.

Des chercheurs de l'Université de New York à Stony Brook ont récemment comparé le risque de développer des polypes ou un cancer colorectal en fonction du type de boisson alcoolique consommé et de la consommation ou non de cigarettes (un facteur de risque du cancer colorectal).

Dans l'étude, les chercheurs ont défini la consommation d'alcool de la façon suivante : lorsqu'une personne prenait au moins un verre de vin, une bouteille de bière ou une once d'alcool au moins une fois par semaine. Les trouvailles sont limpides : les buveurs de vin ont un risque beaucoup plus bas de polypes et de

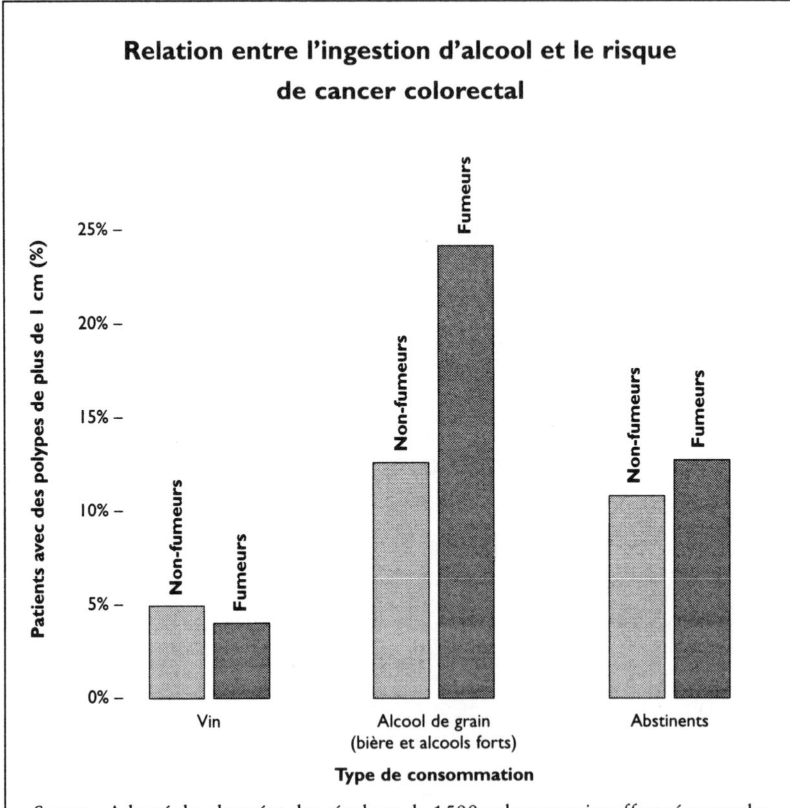

Source : Adapté des données des résultats de 1500 colonoscopies effectuées par des chercheurs du State University of New York à Sunnybrook. J. Anderson et al., *Cancer risk according to type of alcoholic beverage* présenté à la réunion scientifique annuelle du American College of Gastroenterology, à New York. Cité dans *The Medical Post Nutrition Factor*, 21 novembre 2000.

cancer colorectal que ceux qui consomment de la bière ou de l'alcool de grain (gin, scotch, etc.) et que les abstinents.

Les chercheurs ont été prudents dans leurs conclusions : ils se refusent à dire si la diminution du nombre de polypes colorectaux et celle du risque du cancer est seulement due à la présence des antioxydants du vin ou si une partie de cette diminution est aussi due à la diète plus santé et au style de vie des buveurs de vin.

Quoiqu'il en soit, les chiffres sont éloquents : consommer avec modération du vin rouge comme partie intégrante d'une diète de type méditerranéen est un moyen agréable et efficace de prévenir les polypes colorectaux et le cancer.

L'induction des cirrhoses

Le vin induit aussi moins de cirrhoses du foie que les autres alcools, ce qui suggère qu'il contient des substances biologiques favorables, non encore identifiées. Certaines recherches lui donneraient même des propriétés antivirales légères.

UN VIN BLANC NOUVEAU...

À la suite des études prouvant les avantages majeurs pour la santé des polyphénols du vin, certains producteurs de vin blanc en Alsace ont modifié leur processus de macération du vin en faisant macérer quelques heures la pellicule des raisins dans le moût et ils ont réussi à enrichir en polyphénols leur vin sans pour autant en affecter le goût.

ET POUR FINIR AVEC LES VINS...

Ils contiennent tous des vitamines A, B et C et 13 minéraux essentiels au métabolisme de base du corps. Ces quantités sont cependant minimes et on ne devrait pas faire du vin sa source principale de ces vitamines et minéraux.

LES EFFETS UNIQUES DE LA BIÈRE

Les Britanniques ne voulaient pas être en reste, et une étude publiée dans *The Lancet* montre que la bière aussi a des propriétés cardioprotectrices uniques... Elle contient en effet de la vitamine B6, qui réduit les niveaux d'homocystéine dans le sang. (L'homocystéine est un acide aminé produit lorsque le corps digère des protéines animales. Une grande quantité de cet acide aminé endommage l'intérieur des vaisseaux sanguins et entraîne l'accumulation de plaques qui bouchent les vaisseaux et

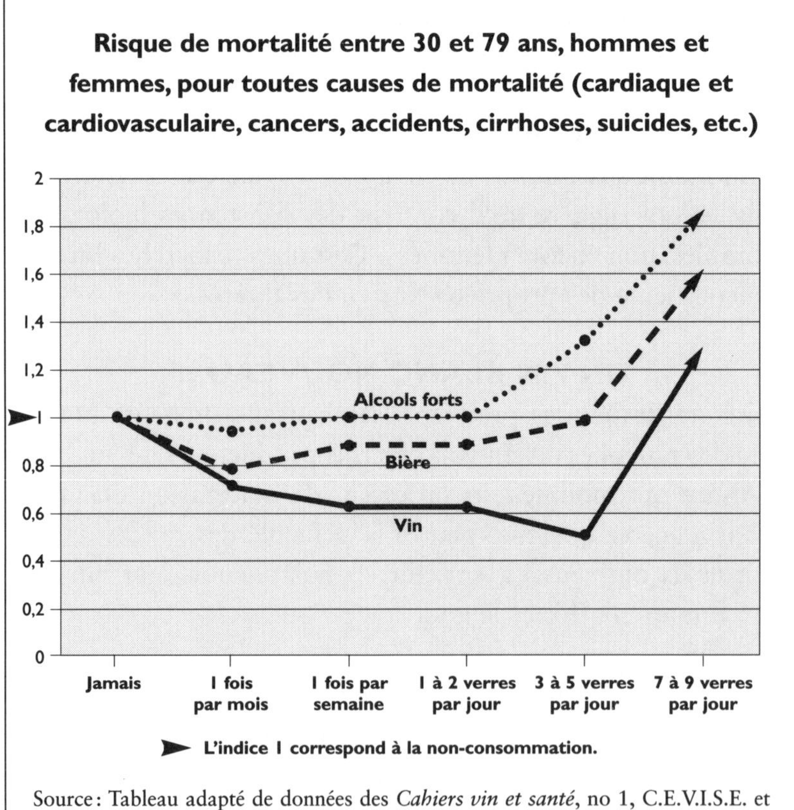

Source : Tableau adapté de données des *Cahiers vin et santé*, no 1, C.E.V.I.S.E. et C.O.R.E.V.I., Le Pontet, Éditions A. Barthélémy, 1996.

finissent par causer les infarctus.) Un taux élevé d'homocystéine coïncide avec une déficience en acide folique (vitamine B9) et parfois en vitamines B6 et B12. La bière peut évidemment faire baisser les taux d'homocystéine en fournissant de la B6, mais la consommation quotidienne de légumes verts, de haricots, d'agrumes ou de jus de fruits suffit à fournir à l'organisme les 400 microgrammes d'acide folique nécessaires à l'organisme. Malheureusement, en Amérique du Nord, moins de 5% de la population suit ce genre de régime.

Un simple verre de bière peut donc augmenter jusqu'à 30% de plus les niveaux de vitamine B6... Alors que le vin rouge n'en augmente les niveaux que de 15%, ce qui n'est pas suffisant pour diminuer les niveaux d'homocystéine.

RETOUR SUR LES ALCOOLS

Notons finalement qu'une consommation modérée d'alcool (un à deux verres par jour) est aussi associée à une augmentation de la masse osseuse chez les femmes, probablement par la stimulation d'œstrogènes après la ménopause.

LE PARADOXE ESPAGNOL

En Espagne, les régions où on consomme le moins de gras sont celles où la mortalité cardiovasculaire est la plus grande, ce qui est pour le moins paradoxal...

Les conclusions d'une étude à ce sujet sont formelles: les régions d'Espagne où le risque cardiaque est le plus élevé sont celles où on consomme moins de vin et de gras polyinsaturés (dont, notamment, les acides gras oméga-3 [voir le lexique] contenus dans les poissons, qui sont des protecteurs). L'analyse statistique a permis de conclure que c'était cette consommation moindre de vin et de poissons gras qui expliquait les différences notées dans la fréquence de la maladie cardiaque.

QUE PEUT-ON CONCLURE ?

- Consommés modérément et régulièrement, tous les alcools ont un effet cardioprotecteur. Le vin rouge, en raison de sa teneur en polyphénols, a cependant un effet supérieur à celui de tous les autres alcools.
- Tous les alcools, consommés modérément, augmentent légèrement la masse osseuse chez la femme probablement par la stimulation de la production d'œstrogènes.
- Le vin induit moins de cirrhoses que les autres boissons alcoolisées à quantité équivalente d'alcool et induit moins de cancers digestifs. Cet effet protecteur disparaît cependant au-delà de 3 consommations quotidiennes.
- Le vin diminuerait le risque de développer la maladie d'Alzheimer.
- La consommation de vin et de poissons gras protège de la maladie cardiaque.
- La modération a bien meilleur goût !

Chapitre 14

«Mais je ne tolère pas l'alcool!»

La question de l'intolérance à l'alcool ou de l'impossibilité à en consommer pour des raisons médicales a été explorée. Il faut certainement prendre en compte que les femmes enceintes, les personnes souffrant d'hypertriglycéridémie — les triglycérides sont la première forme sous laquelle les acides gras sont absorbés dans le sang —, de troubles pancréatiques ou hépatiques ne devraient pas consommer d'alcool. Et il y a la question de l'alcoolisme... En France seulement, deux millions de personnes en souffrent.

Finalement, il faut comprendre que l'alcool peut causer l'hypertension ou l'aggraver en la rendant résistante au traitement médicamenteux. De la même façon, en s'abstenant de consommer de l'alcool, des hypertendus ont vu leur contrôle de tension se normaliser.

L'effet de l'alcool sur la pression est modulé par d'autres facteurs:

- le tabagisme concomitant, qui augmente de façon importante l'effet hypertenseur de l'alcool;
- la fréquence de consommation: plus grande est la fréquence (quelle que soit la quantité ingérée) et plus importante la hausse de tension artérielle;
- la présence ou non de nourriture lors de la consommation. Lorsque l'alcool est consommé avec de la nourriture, son effet hypertenseur est grandement atténué.

Le mécanisme par lequel l'alcool induit l'hypertension est mal compris, mais on croit qu'il agit en inhibant la relâche d'acide nitrique par l'endothélium (la couche interne des vaisseaux sanguins) et augmente l'action des catécholamines sur les vaisseaux sanguins. Comme le vin et la bière sont les alcools qui élèvent le moins la tension artérielle, on pourrait suggérer aux hypertendus qui tiennent à consommer de l'alcool à le faire de façon modérée sous ces deux formes (vin et bière), avec de la nourriture.

Et pour ceux qui veulent profiter des avantages des flavonoïdes du vin, mais ne peuvent en consommer, le jus de raisin produit des effets protecteurs, similaires à ceux du vin, contre la maladie cardiovasculaire. Le jus de raisin et le vin, tout comme certains fruits et légumes, contiennent les mêmes flavonoïdes, qui inhibent l'activité des plaquettes et réduisent le risque de durcissement des artères. Quoique la consommation en flavonoïdes du jus de raisin soit la moitié de celle du vin rouge, des chercheurs de l'Université du Wisconsin ont démontré une diminution de l'ordre de 49% de l'activité plaquettaire avec une dose de 5 ml/kg de jus de raisin. Ainsi, 310 à 370 ml pris quotidiennement pour un sujet de 70 kg ou 280 ml pour un sujet de 55 kg sont suffisants pour produire des effets.

Les flavonoïdes des raisins et du vin ont des effets antiplaquettaires et des propriétés antioxydantes plus marqués que ceux des flavonoïdes d'autres fruits et légumes (ceux des oranges ou des pamplemousses, par exemple)[47]. La concentration en flavonoïdes du jus de raisin est suffisante pour que la consommation d'un verre de jus de raisin par jour réduise l'activité des plaquettes suffisamment pour aider à la prévention des thromboses. Ces flavonoïdes auraient des propriétés antiplaquettaires supérieures à celles des antioxydants.

Évidemment, quoiqu'encourageants, ces résultats ne veulent absolument pas dire que les cardiaques devraient remplacer leur aspirine quotidienne par du jus de raisin ou du vin. Mais ils ne peuvent pas se nuire en buvant du jus de raisin au déjeuner, d'autant plus que la consommation de jus de raisin semble avoir un effet protecteur cumulatif avec le temps.

L'industrie, notamment au Japon, a rapidement développé une foule de « produits dérivés »... Bonbons aux polyphénols, crèmes pour la peau... En France, royaume des cosmétiques, plusieurs produits de beauté sont développés à partir des raisins et du vin et on a récemment mis au point un vin désalcoolisé aux polyphénols; Danone enrichira bientôt certains de ses yogourts avec des polyphénols. Tous — même ceux qui n'aiment ni les raisins ni le vin — pourront donc bientôt profiter des avantages majeurs pour la santé des polyphénols.

QUE PEUT-ON CONCLURE ?

- Les gens intolérants à l'alcool ou au vin ou qui ne peuvent en consommer pour diverses raisons peuvent quand même profiter des avantages des polyphénols du vin en consommant chaque jour du jus de raisin... En attendant tous les nouveaux produits aux polyphénols de l'industrie.

Chapitre 15

L'huile d'olive, ou pourquoi certains gras sont bons pour vous !

Après une chasse aux sorcières contre tous les gras, qu'on accusait de tous les maux, les découvertes des bénéfices santé remarquables de la cuisine méditerranéenne ont ramené les pendules à l'heure. Bien sûr, tous les gras ne sont pas bons pour la santé ! Loin de là !

Les gras animaux (à l'exception des huiles de poisson) sont nocifs et dangereux. Les huiles commerciales, pressées à chaud, et tous les gras saturés et « hydrogénés » — l'hydrogénation consiste à fixer des atomes d'hydrogène sur un gras de façon à le solidifier à la température de la pièce — sont mauvais aussi.

Mais certains gras sont au contraire excellents pour la santé ! Les recherches nous montrent que les gras polyinsaturés (voir le lexique) riches en oméga-3 (trouvés dans les huiles de poisson, dans les graines de lin, dans les noix, l'huile de canola, les produits du soja et dans les œufs venant de poules nourries aux graines de lin) et les gras monoinsaturés (huiles d'olive et de canola, huiles de noix et de poisson) protègent d'une foule de maladies... Une étude suédoise de 1988 a permis de découvrir que les femmes qui consommaient plus de gras monoinsaturés avaient un risque réduit de souffrir de cancer du sein. Plusieurs études ont démontré que les oméga-3 réduisent les triglycérides (une forme de gras), l'hypertension, l'arythmie et la formation de thromboses. Et on sait que les pays où l'huile d'olive est la source principale de gras ont une faible incidence de cancer et de maladie cardiaque.

Mais tous les gras polyinsaturés ne sont pas bons pour la

santé : les huiles de tournesol, de maïs et de safran contiennent trop de gras du type oméga-6. Certaines études suggèrent qu'une consommation d'une grande quantité d'oméga-6 augmenterait le risque de cancer du sein et de l'intestin.

TECHNIQUES D'EXTRACTION COMPARÉES

Voici comment on procède pour extraire les huiles commerciales : d'énormes presses hydrauliques écrasent un mélange chauffé à 190 °C. Cette température dénature les huiles en les saturant et les rend nocives pour la santé. De plus, pour augmenter les profits et les quantités on ajoute aux olives ou aux graines dont est extraite l'huile des solvants issus du pétrole, pour ensuite distiller le solvant, neutraliser, décolorer, désodoriser (avez-vous déjà senti du pétrole ?) et parfois même hydrogéner. Bon appétit !

Il y a une raison à ce type d'extraction : comme il n'y a aucune prime à la qualité en production alimentaire, le seul incitatif devient financier. Produire plus à moindre coût. Et l'extraction industrielle est « payante », car elle permet de retirer 97% de toute l'huile. Par la suite, les résidus, appelés tourteaux, peuvent être vendus aux producteurs de moulées animales. La préoccupation de la qualité et de l'aspect santé n'existe malheureusement plus.

Après ces traitements, l'huile ne contient plus de vitamines et de minéraux et devient carrément nocive pour la santé.

Pourtant, l'organisme a besoin des huiles végétales. Elles lui sont indispensables. Mais on doit les extraire à froid, à des températures ne dépassant pas 50 °C ou 60 °C, ce qui retire que 80 à 90% de l'huile. Cette technique protège les huiles et conserve les vitamines, les minéraux et les acides gras essentiels qui peuvent alors être utiles à la formation des parois cellulaires et à la production hormonale.

UN PEU DE CHIMIE

L'huile d'olive pressée à froid, utilisée en cuisine méditerranéenne, est faible en gras saturés, riche en gras mono et polyinsaturés, diminue le LDL (le « mauvais » cholestérol) et augmente le HDL (le « bon » cholestérol). Elle s'oxyde lentement et est excellente pour la cuisson, parce que son point de fumée (le point où la chaleur commence à dénaturer ses acides gras en les saturant) est élevé en raison de sa teneur en gras monoinsaturés.

En bref, elle contient 9% de gras polyinsaturés, 76% de gras monoinsaturés et 15% de gras saturés.

POURQUOI L'HUILE D'OLIVE EST-ELLE UNIQUE?

Mais il faut regarder plus loin que l'analyse chimique... L'huile d'olive a des propriétés uniques qui la différencient des autres huiles: elle exerce une action favorable sur les facteurs de coagulation sanguine et réduit le risque de thrombose, alors que les autres huiles ont même l'effet contraire.

Une étude, publiée dans l'édition de septembre 2000 du *Journal of Epidemiology and Community Health* a permis de découvrir une vertu supplémentaire à l'huile d'olive: elle protège du cancer du côlon. Les données épidémiologiques sont très claires: manger de la viande augmente le risque de cancer du côlon, mais consommer de l'huile d'olive réduit ce risque. Les facteurs diététiques expliquent à eux seuls les trois quarts des différences dans les taux de cancer du côlon entre les différents pays étudiés.

On sait qu'une diète riche en viande augmente la quantité d'un acide biliaire, l'acide déoxycyclique. Cet acide biliaire réduit ensuite l'activité d'une enzyme digestive appelée diamine oxydase (DAO). C'est la réduction de l'action de la DAO qui favoriserait l'apparition du cancer du côlon. L'huile d'olive a, pour sa part, une action inverse: elle réduit l'acide déoxycyclique, ce qui augmente ensuite l'activité de la diamine oxydase et réduit l'incidence du cancer.

Finalement, l'huile d'olive a des propriétés anti-inflammatoires uniques qui diminuent notamment l'inflammation dans l'arthrite rhumatoïde. (Elle partage d'ailleurs cette propriété avec les légumes.)

Toutes les huiles d'olive ne sont pas d'égales valeurs: là comme ailleurs, il y a de la qualité. Les constituants de l'huile d'olive varient beaucoup d'une marque à l'autre et même d'une oliveraie à l'autre... Plus il y a qualité et plus l'huile a des vertus protectrices pour la santé.

Comment établir la qualité d'une huile pressée à froid? Plus la proportion d'acide oléique est élevée par rapport à la proportion d'acide linoléique, plus l'huile contient du squalène et plus l'huile est de qualité. (Les acides oléiques et linoléiques sont des acides gras. Le squalène est une substance commune à l'huile d'olive et à l'huile de requin.) Certains chercheurs soupçonnent le squalène d'avoir, comme l'acide oléique, des propriétés anticancer.

Les auteurs d'une étude, publiée dans le numéro de septembre 1999 du magazine américain *Prevention*, ont découvert que plus l'huile d'olive contient de l'acide oléique et du squalène et plus elle est agréable au goût. Leur étude conclut que ce sont les huiles d'origine méditerranéenne qui se retrouvent en tête de peloton.

Comme toutes les huiles, l'huile d'olive rancit avec le temps et devrait être conservée au frais, dans une bouteille sombre, à l'abri de la lumière, de l'oxygène et de la chaleur.

ET LES HUILES DE POISSON?

Protection cardiaque

Les huiles de poisson contiennent des acides gras appelés

oméga-3 (voir le lexique). On les divise en acide eicosapentaenoïque (EPA) et acide docosahexaenoïque (DHA). On retrouve aussi des acides gras oméga-3 dans certaines plantes : les graines de lin, les légumes verts feuillus et certaines noix. Dans ce cas, on parle d'acide alpha-linolénique, transformé dans le corps en EPA.

Ces acides gras polyinsaturés à chaîne longue sont des composants fondamentaux essentiels — on les appelle essentiels parce que notre corps ne peut pas les fabriquer et doit se les procurer dans l'alimentation — des membranes de nos cellules, notamment des plaquettes et des globules rouges.

Ces acides gras participent au transfert d'oxygène dans les cellules, à la production d'énergie et à la division et à la croissance cellulaire. Ils sont transformés en prostaglandines (voir le lexique) et contribuent à la santé cardiovasculaire. De façon paradoxale, même s'il s'agit de gras, ils diminuent les lipides sanguins, surtout les triglycérides et empêchent les re-sténoses après un pontage.

L'EPA rend, un peu comme l'aspirine, les plaquettes sanguines moins collantes et est une substance antithrombotique (il empêche les thromboses).

Une consommation d'acides gras oméga-3 diminue le risque d'arrêt cardiaque et le risque d'arythmie après un arrêt cardiaque[48]. Une étude a même prouvé qu'en augmentant la consommation de poisson gras dans la diète, on réduisait de 29% les morts cardiaques et la mortalité de toutes les autres causes[49].

Diminution du risque de la maladie d'Alzheimer

Une étude importante, effectuée à Rotterdam aux Pays-Bas sur 8000 sujets, et une recherche canadienne réalisée à Guelph en Ontario démontrent que manger du poisson diminue le risque de démence et, plus spécifiquement, d'Alzheimer.

Dans ces études, les gens qui souffraient de démence avaient consommé beaucoup de gras saturés (gras de viande, de produits laitiers, huiles — hydrogénées — de coco et de palme)... Ils avaient aussi consommé moins de poissons que les autres.

Les poissons gras, comme le saumon, le maquereau, le hareng et les sardines, contiennent des acides gras oméga-3. Ces acides gras diminuent les maladies cardiovasculaires et diminuent les processus inflammatoires. Or on note beaucoup de ces processus inflammatoires dans le cerveau des gens atteints d'Alzheimer, et très peu d'acides gras oméga-3.

D'autres avantages

Amélioration du diabète

Chez les patients souffrant de diabète de type 2 (ceux qui produisent encore de l'insuline, mais dont les tissus sont résistants et ne répondent que partiellement à l'insuline), l'augmentation de la consommation de poissons gras a été associée à une augmentation du nombre de récepteurs d'insuline dans les cellules et à une action plus efficace de l'insuline.

Effet bénéfique dans l'hypertension

Comme ils sont les précurseurs des prostaglandines qui contrôlent le tonus des vaisseaux sanguins, les acides gras oméga-3 améliorent la tension artérielle chez les hypertendus.

Protection de l'ostéoporose

Les poissons gras ont d'autres avantages : comme ils contiennent naturellement de la vitamine D, leur consommation diminue le risque d'ostéoporose en diminuant la perte en calcium. De plus, ils aident à prévenir l'apparition du cancer du côlon, qui peut être prévenu par une consommation régulière de 1800 mg par jour de calcium, lorsque ce calcium est associé à de la vitamine D... Qu'on peut obtenir dans les poissons gras.

Soulagement de l'arthrite, de l'arthrose et des conditions auto-immunitaires

Les huiles de poisson sont aussi reconnues par la communauté scientifique pour leur capacité à combattre l'inflammation provoquée par la polyarthrite rhumatoïde et par l'arthrose. Et quoiqu'il s'agisse de soulagement léger, le simple fait qu'un patient puisse diminuer ses doses d'anti-inflammatoires est déjà très positif. D'après les gens de la Clinique Mayo, à Rochester, Massachusetts, les huiles de poisson partageraient ces propriétés anti-inflammatoires avec les huiles de soja et d'avocat.

De la même façon, on sait que les patients souffrant de maladies auto-immunitaires comme le lupus et la maladie de Crohn voient souvent leur état s'améliorer en consommant plus de poissons gras.

Protection des cancers digestifs, de la prostate et du sein

Les études épidémiologiques vont même plus loin. Consommer régulièrement des poissons gras diminue le risque des cancers du tube digestif: cavité orale et pharynx, œsophage, estomac, côlon et rectum et diminue le risque de cancer de la prostate et du sein.

Protection des thromboses du cerveau (accidents vasculaires cérébraux ou AVC)

Une étude récente publiée à partir des données de la Nurses Health Study confirme des études précédentes effectuées chez les hommes et démontre que plus la consommation de poisson est grande et moins le risque de souffrir d'une thrombose du cerveau est élevé. Les femmes qui mangeaient du poisson une fois par semaine voyaient leur risque de thrombose cérébrale diminuer de 39%. Celles qui en consommaient cinq fois par semaine voyaient quant à elles leur risque diminuer de 70%. L'étude a mis en lumière un phénomène fascinant: non seulement le fait de manger du poisson diminue le risque d'accident vasculaire thrombotique, mais en diminue tous les types, même les événements hémorragiques. Pour tous les types d'accidents vasculaires, la relation est inversement linéaire: plus les femmes mangeaient de poissons et moins leur risque était élevé.

Fréquence de consommation	Pourcentage de réduction du risque
1 fois/semaine	22
2 à 4 fois/semaine	27
5 fois ou plus/semaine	52

Données tirées de la Nurses Health Study.

L'analyse statistique a permis de mettre en évidence que ce sont les acides gras de type oméga-3 (voir le lexique) qui protègent des AVC.

Attention: la Dre Rexrode, une des auteurs de l'étude, est catégorique. Ces résultats ne veulent pas dire que ceux qui consomment des suppléments d'huile de poisson peuvent espérer les mêmes résultats qu'en consommant du poisson. Et cela s'explique!

Les recherches montrent que les acides gras oméga-3, tout comme les acides gras de l'huile d'olive, et contrairement à tous les autres gras, inhibent l'agrégation des plaquettes (empêchent les plaquettes de se coller les unes aux autres) et empêchent par le fait même la formation de caillots. La consommation d'une diète riche en gras saturés (qui rendent les plaquettes plus collantes) supplémentée en capsules d'huile de poisson ne peut donc pas donner les mêmes résultats.

Protection des yeux

On sait que la consommation de poisson gras est associée à une diminution du risque de dégénérescence maculaire (la macula est une partie de l'œil essentielle dans la vision).

Attention: la pollution induite par l'industrialisation se concentre à chaque échelon de la chaîne alimentaire. Le Food and Drug Administration (sorte de ministère américain de la santé) recommande désormais aux femmes enceintes d'éviter la consommation de gros poissons prédateurs tels les requins, les espadons et les maquereaux. Comme ces poissons se trouvent au haut de la pyramide alimentaire, ils pourraient contenir assez de mercure pour affecter le cerveau en croissance des fœtus.

QUE PEUT-ON CONCLURE?

- L'huile d'olive, utilisée en cuisine méditerranéenne, a des propriétés uniques, qui la rendent différente de toutes les autres huiles. Elle est notamment la seule à avoir un effet favorable sur les facteurs de la coagulation sanguine.
- Consommer beaucoup de gras d'origine animale augmente le risque de souffrir de la maladie d'Alzheimer. Au contraire, consommer beaucoup de poissons gras diminue ce risque.
- Consommer des poissons gras diminue le risque de souffrir de maladie cardiaque et de développer des maladies auto-immunitaires telles la maladie de Crohn et le lupus. Cette même consommation améliore la maîtrise du diabète.
- Consommer régulièrement des poissons gras diminue le

risque de développer des cancers du tube digestif, de l'œsophage, au côlon et diminue le risque de souffrir de cancer du sein et de la prostate. Cette consommation diminue le risque d'accident vasculaire cérébral et diminue le risque de dégénérescence de la macula, essentielle à la vision.

Chapitre 16

Si on mange moins de viande, où prendra-t-on nos protéines ?

On ne parle pas ici de ne pas manger de viande, mais de manger *moins* de viande rouge. La consommation de volaille et de poissons est favorisée tout comme celle de protéines végétales... qui sont bien différentes des protéines animales. Elles sont plus riches en acides aminés non essentiels et favorisent la sécrétion de glucagon (une hormone du métabolisme du sucre).

Cette augmentation du glucagon sensibilise l'organisme à l'effet de l'insuline, diminue les lipides sanguins, entraîne une perte de poids et diminue la production de certaines hormones, ce qui entraîne une réduction dans l'induction des cancers et une diminution de l'activité inflammatoire entretenue par des cellules appelées neutrophiles.

La consommation de protéines d'origine végétale a bien d'autres avantages : les études ont prouvé qu'elles diminuaient l'inflammation dans des conditions comme l'arthrite rhumatoïde. Elles protègent aussi contre les cancers reliés à la résistance à l'insuline (le sein, le côlon et la prostate).

Comme elles sont d'origine végétale, ces protéines sont aussi associées à d'autres substances, baptisées « phytochimiques », des antioxydants puissants qui contribuent à la réduction des cancers.

Dans certains cas sévères, des patients ont été mis à un régime totalement végétarien, couplé à un programme d'exercice, et on a pu noter la régression de certaines « sténoses » (rétrécissements) coronariennes. Les protéines d'origine végétale (comme on en trouve dans les légumineuses) tendent à améliorer de façon remarquable le contrôle diabétique et à diminuer la tension artérielle.

On peut même aller plus loin : quand on compare des diètes équivalentes quant à l'apport calorique et lipidique, les gens qui consomment une diète riche en protéines d'origine végétale ingèrent 61 % moins de gras saturés (et donc un profil lipidique remarquablement meilleur), 160 % plus de fibres, 145 % plus de vitamine E, 160 % plus de vitamine C et 500 % plus de carotène que les consommateurs de protéines essentiellement d'origine animale. Leur immunité s'est améliorée de façon importante en comparaison avec ceux dont les protéines provenaient essentiellement de sources animales et leur fonction intestinale s'est grandement améliorée.

MAIS LES PROTÉINES VÉGÉTALES NE SONT-ELLES PAS « INCOMPLÈTES » ? NE MANQUERONS-NOUS PAS D'ACIDES AMINÉS ESSENTIELS ?

Notre corps est composé de 18 à 20 % de protéines, et nous devons renouveler chaque jour une partie de cette masse de protéines. Les protéines sont construites à partir de blocs de base appelés acides aminés. Il y en a huit que notre corps ne peut synthétiser : on les appelle acides aminés essentiels. Nous devons consommer ces acides aminés essentiels dans une proportion précise les uns par rapport aux autres, sans quoi les acides aminés excédentaires sont utilisés pour créer de l'énergie.

Si, par exemple, il manque un seul acide aminé essentiel à ce que nous mangeons (on parle alors d'acide aminé « limitant »), l'utilisation des autres acides aminés essentiels en sera réduite dans la même proportion. Or, c'est vrai, les protéines contenues dans les végétaux sont en général incomplètes, dans le sens où elles n'ont pas tous les acides aminés essentiels au corps humain.

C'est la beauté de l'alimentation méditerranéenne : comme il s'agit d'une alimentation très variée, même lorsqu'il s'agit de plats végétariens, les acides aminés des différentes classes d'aliments se complètent pour former des protéines complètes.

QUE PEUT-ON CONCLURE?

- La consommation d'une abondance d'acides aminés non essentiels, retrouvés dans les aliments d'origine végétale, sensibilise l'organisme à l'effet de l'insuline, diminue les lipides sanguins, entraîne une perte de poids et, en diminuant la production de certaines hormones, réduirait l'induction des cancers et des maladies avec composante inflammatoire importante (les arthrites, par exemple).
- Une diète riche en protéines d'origine végétale contient beaucoup moins de gras saturés et beaucoup plus de vitamines et d'antioxydants qu'une diète basée sur les aliments d'origine animale et améliore le profil lipidique, diminue l'incidence de la maladie cardiovasculaire et améliore l'immunité et la résistance aux maladies.
- Les différents types d'aliments végétaux contiennent des acides aminés qui se complètent les uns les autres et, consommés dans une diète de type méditerranéen, fournissent des protéines complètes, nécessaires au bon fonctionnement du corps. Cette consommation d'aliments d'origine végétale n'empêche absolument pas la consommation raisonnable de protéines d'origine animale.

Chapitre 17

De quelques nutriments... Et de leurs effets sur la santé

LES FRUITS ET LES LÉGUMES

Les études le prouvent: consommer des fruits citrins, des légumes crucifères (chou, brocoli, chou-fleur, etc.) et des légumes verts à feuilles avec des grains entiers réduit de façon importante le risque d'accident vasculaire cérébral (de paralysie)... Pour chaque portion quotidienne de plus de fruits ou de légumes, on note une diminution de 6% du risque de paralysie.

En fait...

«... Les médecins et les diététistes se sont trop occupé du cholestérol à jeun. Nous avons eu tendance à sous-estimer l'importance de la diète... Ce qui importe pour vos artères, ce sont les 18 heures par jour au cours desquelles vous n'êtes pas à jeun.»

Dr David Spence, directeur du Centre de recherche sur la prévention des accidents cérébraux vasculaires et la recherche sur l'athérosclérose à l'Institut de recherche Siebens-Drake et à l'Institut de recherche Robarts à London, Ontario[50].

Une étude japonaise, portant sur plus de 2000 patients, a démontré que le risque d'AVC était 70% plus élevé dans le groupe des hommes dont le taux sanguin de vitamine C était le plus bas, en comparaison du groupe qui avait les taux les plus élevés. La même étude a montré que les hommes qui consommaient 6 à 7 fois par semaine des légumes avaient un risque d'AVC de 58% inférieur à ceux qui n'en consommaient que 2 fois par semaine ou moins.

Tous les AVC étaient réduits, qu'ils soient d'origine thrombotique (secondaires à la formation d'un caillot) ou hémorragique (secondaires à un saignement). Ce point est important parce qu'on sait que la vitamine C protège des thromboses cérébrales en raison de son action antioxydante (antithrombotique).

Puisque la consommation de fruits et de légumes réduit aussi les AVC d'origine hémorragique et que la vitamine C ne protège que des AVC d'origine thrombotique, il semble donc que les fruits et les légumes protègent des AVC par plus d'un mécanisme, ce qui milite en faveur de la consommation des fruits et légumes entiers plutôt que de l'utilisation de suppléments de vitamine C.

Une étude américaine, publiée dans le *Journal of the American Medical Association*, le journal de l'Association médicale américaine, a pour sa part montré que les femmes qui consommaient plus de 2,7 portions par jour de céréales à grains entiers avaient un risque d'AVC de 43% inférieur à celui des femmes qui n'en consommaient pas du tout. Cet effet protecteur persistait même lorsqu'on tenait compte de facteurs confondants (voir le lexique) comme le tabagisme, l'exercice, la consommation d'alcool et le remplacement hormonal.

Les fruits et les légumes ont bien sûr beaucoup d'autres avantages... Consommer une diète riche en plantes est une des stratégies anticancer les plus efficaces que l'on puisse adopter[51]. Une étude récemment réalisée en Chine[52] semble prouver les découvertes faites à date chez l'animal voulant que certaines substances contenues dans les légumes crucifères (chou, brocoli, chou-fleur, etc.) aient un effet protecteur important contre le cancer du poumon.

Dans cette étude, on a mesuré les concentrations d'isothiocyanates (un antioxydant contenu dans les légumes de la famille du chou) dans l'urine d'hommes chinois. La présence de cette substance dans l'urine était associée à un risque diminué de cancer du poumon, tant chez les fumeurs que chez les non-fumeurs.

La consommation de fruits et de légumes diminue aussi le risque de diabète de type 2 et améliore le diabète de type 1.

LE YOGOURT

Une étude de 1999 donne des résultats intéressants : lorsque des gens consomment régulièrement du yogourt non pasteurisé pendant environ un an, on note une diminution des symptômes d'allergie, quel que soit l'âge.

De plus, une autre recherche suggère que la consommation régulière de yogourt diminue les symptômes du syndrome du côlon irritable, une condition où le côlon est en proie à des contractions violentes, souvent fort douloureuses. Les patients qui en souffrent se plaignent aussi d'alternance de diarrhée et de constipation et d'une foule d'autres symptômes. Cette condition rend leur vie souvent misérable. Jusqu'à présent, le traitement était plutôt frustrant et les patients n'obtenaient qu'un soulagement partiel grâce à une diète à haute teneur en fibres. Le docteur Nobaek[53] et ses collègues ont montré qu'en faisant consommer des souches vivantes de lactobacille (la bactérie du yogourt) à des patients souffrant du syndrome du côlon irritable, l'intensité des symptômes diminuait de façon importante (ballonnement et douleurs).

Cet effet intéressant ne peut cependant se produire avec du yogourt commercial, qui a été pasteurisé, et auquel on a ajouté du lait pour en adoucir le goût. Au contraire, en raison de la présence de lait et de l'absence des bactéries (tuées par la pasteurisation) qui le prédigèrent, la consommation de yogourt commercial pourrait en fait augmenter les symptômes des patients souffrant du syndrome du côlon irritable, puisque l'intolérance au lactose et le côlon irritable coexistent très fréquemment.

Plus sur le yogourt [54]

Plusieurs études suggèrent une foule d'autres bénéfices pour la santé attribuables aux boissons fermentées comme le yogourt ou le kefir. (Ces bénéfices n'existent évidemment que si ces boissons n'ont pas été pasteurisées, la pasteurisation détruisant les populations bactériennes.)

- Amélioration de l'intolérance au lactose : les bactéries de ces boissons fermentées S. Thermophilus et L. Bulgaricus synthétisent l'enzyme lactase nécessaire à l'absorption du lait.
- Ces mêmes bactéries synthétisent plusieurs vitamines du groupe B (B1, B2, B6 et B12) de même que de l'acide folique, de la vitamine C, de l'acide nicotinique, de la biotine et de la vitamine K.
- Ces bactéries semblent aider à l'absorption de certains nutriments (calcium, fer, zinc, cuivre, manganèse et phosphore).
- Le yogourt et le kefir diminuent la durée des épisodes de diarrhées virales et diminuent même le problème d'érythème fessier.

On croit aussi que les bactéries du yogourt et du kefir ont des propriétés antibactériennes. Pour éviter d'être éliminées par le mouvement normal des selles dans l'organisme, ces bactéries adhèrent aux parois intestinales et produisent des acides organiques volatiles (l'acide acétique, l'acide lactique et l'acide propionique) qui acidifient l'intestin, ce qui inhibe la croissance de pathogènes courants. Elles sécrètent d'autres substances antibactériennes et stimulent l'immunité naturelle du corps.

LE THÉ ET LE CAFÉ

Après avoir été accusés de tous les maux, dont ceux de causer le cancer du pancréas (accusations qui n'ont jamais pu être démontrées d'ailleurs), parce qu'ils contenaient de la caféine, le thé et le café retrouvent leurs lettres de noblesse.

Les recherches ont découvert que le café contient de l'acide chlorogénique, de l'acide gallique et du cafestol, considérés antimutagéniques. (Ces substances empêchent le cancer de se former.)

Une étude récente[55] suggère même que la consommation de café diminue le risque de développer la maladie de Parkinson: plus les sujets de l'étude en consommaient et plus leur risque était faible.

On pourrait conclure que la caféine a des effets neuroprotecteurs... Ou que les patients souffrant de Parkinson tolèrent moins le café. D'autres études seront nécessaires avant de conclure définitivement.

Le thé, pour sa part, protège des nitrosamines et contient des substances qui ont à la fois des propriétés anticarcinogéniques et antioxydantes[56].

Juste un point sur la quantité: trop de café ou de thé est dommageable et peut causer plusieurs effets secondaires, tels les tremblements et l'anxiété. Pour obtenir l'effet bénéfique maximal, on recommande la consommation quotidienne d'au plus quatre boissons contenant de la caféine.

LE LAIT

Aliment phare de la diète nord-américaine, le lait est présenté comme essentiel à une saine alimentation. Le guide alimentaire canadien lui consacre un groupe à lui seul et vient même d'en augmenter le nombre de portions. Sans le lait, l'apport en calcium serait insuffisant et l'ostéoporose ferait des ravages.

C'est faux. On laisse croire aux gens que le lait constitue la seule source valable de calcium. Il y en a bien d'autres, et leur calcium est beaucoup plus bio-disponible que celui du lait! (Voir le chapitre 10, p. 62.) On retrouve, par exemple, du calcium dans les oranges, le brocoli, les fèves, les pois, les graines, tous les légumes de la famille du chou...

Le premier problème avec le lait, c'est que l'ostéoporose cause des ravages dans les pays où on consomme du lait et très peu dans les pays où on n'en consomme pas. Dans la *Nurses Health Study* de Harvard, les chercheurs ont découvert que les infirmières qui consommaient **le plus** de produits laitiers (deux verres ou plus par jour) souffraient **plus** de fractures que les autres femmes. Leur risque relatif de souffrir d'une fracture du bras était de 1,05 fois celui des autres et celui de souffrir d'une fracture de la hanche était de 1,45 fois celui des autres, une valeur statistiquement significative. Cette étude était une étude prospective, dans laquelle les femmes notaient jour après jour ce qu'elles consommaient parce qu'une étude rétrospective (après le fait) aurait risqué de donner des résultats faux, les patients ayant tendance à blâmer leur diète après le fait.

L'autre problème, c'est qu'à part les populations d'Europe et d'Amérique du Nord, aucun autre peuple ne consomme du lait après le sevrage et tous s'en portent parfaitement bien.

Le lait est-il vraiment essentiel à une bonne santé ou est-il dangereux comme l'affirment certains végétaliens ? (Les végétaliens, contrairement aux végétariens, ont une alimentation exclusivement végétarienne, sans aucun ajout d'aliment d'origine animale.) La vérité se situerait-elle quelque part entre ces deux positions extrêmes ?

Aliment exclusif à la naissance pour tous les mammifères, le lait de chaque espèce animale lui est propre et répond à des besoins uniques : le lapin double son poids de naissance en 6 jours ;

le chat, en 9 jours; le veau, en 47 jours et le bébé humain en 90 jours.

Après le sevrage, tous les mammifères cessent complètement de consommer du lait et perdent même la capacité d'en absorber le sucre, le lactose. Chez les humains, à l'exception des Caucasiens (les gens d'origine européenne), l'intolérance au lactose atteint 90%. Chez les Caucasiens, elle atteint quand même, selon une publicité de Lactaid (qui fournit l'enzyme déficiente), 20 à 25% des gens. Cette particularité des Caucasiens tiendrait à une mutation génétique vieille de quelques milliers d'années...

Il est donc plutôt curieux qu'on présente comme essentiel un aliment que tant de gens ne tolèrent pas et que la nature a exclu de la diète après le sevrage.

Il n'y a pas que les intolérances. Selon l'Académie Américaine d'Allergie, d'Asthme et d'Immunologie, le lait de vache est l'une des substances qui cause le plus d'allergies et d'intolérances chez les enfants. Les statistiques officielles affirment que de 1% à 3% des gens souffrent d'allergie au lait. Mais le phénomène de l'allergie alimentaire est extrêmement complexe et les tests ne sont malheureusement pas fiables, contrairement à ceux pour les allergies respiratoires.

La seule façon de savoir si quelqu'un souffre d'une allergie alimentaire consiste à supprimer l'aliment en cause pour au moins trois semaines chez l'enfant et jusqu'à trois mois chez l'adulte puis de le réintroduire. Ce délai est nécessaire pour éliminer complètement les complexes antigène-anticorps en circulation.

Les coliques

Plusieurs enfants, y compris ceux qui sont nourris au sein, souffrent de coliques. Les médecins expliquent aux mamans qu'on en ignore la cause et que ce phénomène est heureusement passager.

Pourtant, si on supprime de l'alimentation de la mère le lait de vache, on voit souvent disparaître ces coliques « dont on ne connaît pas la cause ». Une hypothèse intéressante explique ce phénomène : une protéine antigénique (reconnue comme étrangère) passerait du tube digestif de la mère à son sang, puis passerait dans son lait. Le système immunitaire de l'enfant reconnaîtrait alors cette protéine comme étrangère et la réaction de rejet causerait les coliques. On peut établir la même relation avec d'autres aliments, dont notamment le chocolat.

Le diabète

Condition extrêmement sérieuse, le diabète a été associé à la consommation de produits laitiers[57].

« Même s'il s'agit d'un sujet controversé, l'introduction de lait de vache tôt dans la vie d'un enfant a été considérée comme un facteur contributoire dans la pathogénèse du diabète de type 1. Une méta-analyse a révélé que les enfants chez qui on introduisait le lait de vache avant l'âge de 3 mois avaient 1,4 fois le risque de développer le diabète de type 1 que les enfants qui n'étaient pas en contact avec le lait de vache. Dans les pays où on consomme beaucoup de produits laitiers de la vache, l'incidence de la maladie est augmentée de 10 fois... » (Traduction libre)

Desmond A. Schatz, MD, American Diabetes Association's 59th Scientific Sessions, 22 juin 1999.

Les diabétiques de type 1 (aussi appelé diabète juvénile) ont des taux d'anticorps plus élevés que la moyenne contre une protéine du lait, l'albumine bovine. Le rôle de ces anticorps est d'attaquer et de détruire cette protéine, reconnue comme étrangère. Une partie de cette protéine ressemble étrangement à une protéine de la surface des cellules du pancréas qui produisent l'insuline. Dans certaines circonstances, les anticorps ne feraient malheureusement pas la différence entre l'albumine bovine et les protéines à la surface des cellules qui produisent l'insuline et les attaqueraient pour les détruire. Il y a évidemment d'autres facteurs en cause ici : génétiques, environnementaux et probablement infectieux. Tous les enfants qui boivent du lait ne deviennent pas diabétiques, loin de là. Mais en présence d'une forte histoire familiale pour le diabète de type 1, il pourrait être intéressant d'envisager de supprimer le lait.

Les migraines

Le tiers des migraines est attribué au lait et aux produits laitiers. L'élément responsable peut être le lactose lorsqu'il y a intolérance, une protéine du lait lorsqu'il y a allergie ou des amines, substances trouvées fréquemment dans les fromages, surtout les fromages vieillis.

Plusieurs autres aliments sont associés aux migraines : chocolat, boissons alcoolisées ambrées, agrumes, noix, colas, fruits de mer… Dans tous ces cas, y compris les migraines reliées aux produits laitiers, le traitement consiste à éviter complètement l'aliment en cause. Le succès est habituellement rapide et les crises disparaissent en général complètement.

Plusieurs autres pathologies ont été associées de près ou de loin à la consommation de lait. Mais il s'agit d'associations extrêmement controversées.

Le cancer

Certaines études rendent songeurs. En 1965, les États-Unis ont envoyé du lait en poudre aux Philippines pour venir en aide aux enfants victimes de malnutrition. Là-bas, l'apport en protéines provient surtout des arachides, malheureusement contaminées par une moisissure qui produit un carcinogène puissant, l'aflatoxine. Or les taux de cancer du foie étaient particulièrement élevés parmi les enfants les mieux nourris, ceux qui recevaient des suppléments de lait en poudre.

La réponse à ce troublant phénomène pourrait se trouver dans la caséine, une protéine du lait: la caséine semble avoir la propriété de pouvoir déclencher le cancer du foie exposé à l'aflatoxine lorsqu'elle représente 10% de l'apport protéique du corps[58].

Les cancers du sein, des ovaires et de la prostate

En Asie, où les gens ne consomment presque pas de lait, le cancer du sein est rare. Même lorsqu'on compare les pays où les gens boivent du lait, on retrouve les taux de cancer du sein les plus élevés dans ceux où les gens en boivent le plus. Une étude comparative publiée en 1989 a montré que la Scandinavie et les Pays-Bas, deux régions où la consommation de lait est élevée, sont des pays où la prévalence du cancer du sein est plus élevée qu'ailleurs en Europe.

De la même façon, les taux de cancer de la prostate sont les plus élevés dans les pays où on consomme beaucoup de lait, par opposition à ceux où on en consomme très peu. Une étude de 1977 a montré qu'il mourait 10 hommes de cancer de la prostate en Europe de l'Ouest pour un seul en Asie.

Mais ces études comparatives sont souvent difficiles à interpréter, en raison de multiples variables cachées (on parle de facteurs confondants) qu'elles peuvent contenir. Les études prospectives, qui suivent pendant des années les mêmes patients, sont beaucoup plus révélatrices.

La *Physician Health Study* a étudié plus de 20 000 médecins mâles pendant plus de 10 ans. Ceux qui consommaient au moins 2 portions et demie de produits laitiers chaque jour avaient 30% plus de chances de souffrir du cancer de la prostate que ceux qui ne consommaient qu'une demi-portion quotidienne ou moins.

Les chercheurs de la *Health Professionals Follow-up Study*, une étude publiée en 1999 qui a suivi 50 000 sujets, sont arrivés aux mêmes conclusions : les hommes qui ingèrent beaucoup de produits laitiers ont 70% plus de chances de développer le cancer de la prostate. Si en plus, ils y ajoutent des suppléments calciques, leur risque augmentait encore. Dans l'étude, une consommation de 2000 mg de calcium par jour quadruple le risque de cancer de la prostate métastatique. Les auteurs de l'étude croient que ces niveaux élevés de calcium créent une déplétion en vitamine D, nécessaire pour protéger du cancer de la prostate.

Ces trouvailles pourraient aussi expliquer les curieuses « anomalies » épidémiologiques décrites chez les Adventistes du Septième Jour, une secte religieuse. Ces gens ne fument pas et ont un régime alimentaire riche en légumineuses, en céréales complètes, en fruits et légumes et en lait et produits laitiers. Les taux de maladie cardiovasculaire et de cancers pulmonaires, gastro-intestinaux, pancréatiques et hépatiques, de leucémie et de maladie de Hodgkin sont très inférieurs chez eux à ceux de la population en général. Mais malgré l'ingestion d'une grande quantité de substances protectrices trouvées dans les aliments végétaux, leur taux de cancer de la prostate et du corps de l'utérus sont identiques à ceux de la population générale. Selon l'hypothèse la plus vraisemblable, la grande quantité de calcium ingérée dans leur diète au travers des produits laitiers bloquerait l'action protectrice de la vitamine D (et ce, même si le lait est fortifié en vitamine D) et favoriserait l'apparition du cancer de la prostate, du sein et de l'utérus.

Les chercheurs de la *Nurses Health Study* ont identifié, quant à eux, un lien entre un autre élément du lait, le lactose (sucre du lait, retrouvé en grandes quantités dans le lait et le yogourt, mais présent en quantité beaucoup moindre dans le fromage) et le cancer des ovaires le plus fréquent: le cancer ovarien épithélial séreux. Sur 80 326 participantes, 301 ont souffert d'un cancer des ovaires et 174 ont souffert du sous-type séreux.

Le lien est le suivant: les femmes qui consommaient une portion ou plus de lait écrémé **par jour** couraient un risque 66% plus élevé de développer le cancer des ovaires du type épithélial séreux que les femmes qui ne consommaient que trois portions ou moins de produits laitiers **par mois**.

Lorsqu'on a comparé la consommation de lactose, on a réalisé que les femmes qui consommaient le plus de lactose avaient deux fois plus de risque de développer le cancer séreux que celles qui en consommaient le moins. De façon imagée, chaque verre de lait (11 g de lactose par jour) augmentait le risque de cancer séreux de 19%[59].

Comment le lactose peut-il causer le cancer des ovaires? On sait que le corps transforme le lactose en galactose, un autre sucre. Or des études animales ont démontré que la consommation de grandes quantités de galactose entraîne la mort des cellules reproductrices des ovaires, les ovocytes. Les conclusions d'autres études animales suggèrent que c'est cette déplétion en ovocytes qui induit le développement du cancer ovarien[60].

Une étude[61] a finalement mis un autre des éléments du lait au banc des accusés: le gras saturé. Le lait entier, le fromage et la crème glacée contiennent entre 15 et 60 g de gras par portion. Dans cette étude, les femmes qui consommaient le plus de gras saturé avaient deux fois plus de risque de cancer ovarien que celles qui en consommaient le moins.

Attention: même si ces études semblent suggérer un lien

entre la consommation de produits laitiers et les cancers du sein, de l'utérus et de la prostate, il faut se garder de tirer des conclusions trop hâtives. Énormément de facteurs entrent en jeu et on peut accuser un nutriment à tort. Dans le cas de la relation du lait avec les cancers du sein et de la prostate, il faut savoir que les études citées sont américaines. Or le lait américain diffère de celui des autres pays car les producteurs donnent à 30% du cheptel une hormone synthétique créée par Monsanto, la BGH. Cette hormone augmente encore plus la production déjà démentielle des vaches laitières. Comme la division de protection de la santé du gouvernement canadien a découvert des preuves indirectes que la BGH pourrait augmenter les cancers du sein et de la prostate chez l'humain, on peut se demander si nous sommes face à un problème de lait ou un problème d'hormone ? Et si c'est un problème de lait, est-ce que nous consommons trop de calcium, ou est-ce plutôt que nous ne consommons pas assez de vitamine D ?

Si on ne doit pas tirer de conclusions hâtives sur ce sujet extrêmement complexe et délicat, on peut cependant se questionner sur l'insistance des autorités à vouloir, devant l'épidémie d'ostéoporose, augmenter encore la consommation du calcium, sans tenir compte des autres facteurs, comme la consommation de protéines animales.

Pour ce qui est des éléments positifs en faveur du lait, on doit comprendre que, avant l'âge de 25 ans, la consommation de produits laitiers, associée à de l'exercice modéré et à une consommation de fruits et de légumes, conduit à des squelettes plus forts. Après cet âge, la supplémentation en lait n'est pas efficace. Le Comité scientifique de Santé Canada, dans son rapport *Recommandation sur la nutrition*, conclut que le calcium des produits laitiers n'est pas efficace contre l'ostéoporose[62]. (Voir le Chapitre 10, p. 62.)

Pour ce qui est de la maladie cardiaque, une étude publiée récemment dans la revue *Circulation*[63] montrait qu'une diète faible en gras (27% des calories provenant du gras) et riche en fruits et en légumes, en noix, en poissons et en produits laitiers était associée à une diminution de l'homocystéine, un acide aminé extrêmement irritant pour les vaisseaux sanguins, produit par la consommation de protéines animales et réduisait donc le risque de la maladie cardiaque. Cette diète était plus efficace qu'une diète semblable qui ne contenait pas de produits laitiers.

Alors, aliment indispensable ou danger pour la santé ? La vérité se trouve quelque part entre les deux positions.

La consommation raisonnable de lait, associée à une diète de type méditerranéen, produit des bénéfices importants pour la santé. Cependant, dans des cas où il y a allergie ou intolérance au lait, on peut le remplacer par d'autres aliments sans que la santé en soit affectée.

LES AMANDES ET AUTRES NOIX[64]

Plusieurs ne perçoivent les noix et les amandes que comme des grignotines néfastes pour la santé, riches en gras et en cholestérol. Comme les gens les consomment souvent salées et grillées dans de l'huile hydrogénée et saturée, cette réputation était partiellement méritée.

Après une chasse sans merci contre tous les gras, on s'est pourtant rendu compte que certaines huiles sont bonnes pour la santé. On sait maintenant que la consommation de petites quantités d'huiles polyinsaturées, notamment tirées des noix, peut abaisser les lipides du sang. Consommer de 68 g à 100 g d'amandes par jour diminue par exemple le « mauvais cholestérol » de 9 à 15%.

Comme les noix et les amandes contiennent de 44% à 66%

de gras, certains craignent de devenir obèses en les consommant. Cette crainte n'est fondée que si les noix sont consommées en grande quantité lors des collations. La consommation de noix et amandes, à l'intérieur d'une diète santé de type méditerranéen, ne cause pas l'obésité.

Mais il y a plus: plusieurs études majeures[65] ont démontré que la consommation de noix trois à cinq fois par semaine était associée à une diminution de moitié du risque cardiaque.

Un peu de biochimie

En plus des acides gras, les noix contiennent différents agents chimiques dont des protéines et des fibres, qui contribuent à diminuer le cholestérol sanguin. Ce sont d'excellentes sources de calcium, de cuivre et de magnésium qui ont un effet favorable sur la fonction cardiaque, la tension artérielle et la masse osseuse.

Plus sur la protection cardiaque

Comme elles sont d'origine végétale, les noix contiennent des antioxydants puissants. Ceux-ci aident leurs lipides (leurs gras) à résister à l'oxydation. De cette façon, le corps fabrique moins de cholestérol LDL oxydé (le mauvais cholestérol). Il y a donc moins de formation de plaques à l'intérieur des artères.

Il y a encore mieux. Les protéines végétales contenues dans les noix sont très différentes des protéines animales: elles contiennent notamment beaucoup plus de l'acide aminé arginine que de l'acide aminé lysine. Cette proportion favorise la synthèse dans les vaisseaux sanguins d'une substance appelée oxyde nitrique, qui entraîne une dilatation des vaisseaux sanguins.

C'est donc un juste retour des choses, les humains ayant toujours consommé des noix. La science vient de donner raison à nos ancêtres. Mais encore une fois, les noix ne sont pas un additif magique à saupoudrer sur une mauvaise alimentation. Utilisées de cette façon, elles ne feront que donner bonne conscience. Consommées cependant comme partie intégrante d'une diète santé de type méditerranéen, elles agiront en équipe avec les autres nutriments pour donner un effet santé maximal.

LES ŒUFS

On redécouvre des vertus aux œufs : une recherche effectuée en médecine vétérinaire par l'équipe du Dr Zeisel de l'Université de Caroline du Nord a démontré que le cerveau des bébés nés de mères n'ayant pas assez consommé de choline se développait mal. Les œufs sont une excellente source de choline... Une autre recherche, publiée dans le *Journal of the American College of Nutrition*, a montré que la lutéine et la zéaxanthine contenues dans les œufs aident à prévenir l'apparition de la cataracte et de la dégénérescence maculaire (la macula étant une partie de l'œil, essentielle à la vision), deux conditions liées au vieillissement.

QUE PEUT-ON CONCLURE ?

- Une consommation abondante de fruits et de légumes diminue le risque d'AVC, diminue l'incidence du diabète de type 2 et des maladies inflammatoires et protège du cancer.
- La consommation de yogourt (non pasteurisé) améliore l'incidence de côlon irritable et améliore l'intolérance au lactose.
- Le café protégerait de la maladie de Parkinson. Le thé, quant à lui, protégerait du cancer.
- La consommation de lait de vache a été associée à plusieurs conditions pathologiques comme les coliques du nourrisson, le diabète de type 1, par un phénomène immunitaire, les mi-

graines et certains cancers (notamment ceux du sein et de la prostate). Certaines études relient même une très grande consommation de produits laitiers à une augmentation de l'incidence d'ostéoporose.

- Dans une veine plus positive, l'ajout modéré de produits laitiers à basse teneur en gras à une diète riche en fruits et en légumes a été associé à une diminution de l'incidence de la maladie cardiaque. L'analogie peut sembler curieuse mais, avec le lait comme avec l'alcool, chez les adultes, la modération a meilleur goût.
- Une consommation modérée d'amandes et de noix protège de la maladie cardiaque en favorisant la synthèse d'acide nitrique dans les vaisseaux sanguins.
- La consommation d'œufs par les femmes enceintes améliore la fonction cérébrale des cerveaux de leurs bébés, et certaines substances contenues dans les œufs aident à prévenir la cataracte et la dégénérescence maculaire, deux maladies du vieillissement de l'œil.

Partie IV

L'ÉPIDÉMIE DU XXIe SIÈCLE

Chapitre 18

L'exercice : une nécessité

« Un changement durable d'habitudes de vie — manger moins et bouger plus — peut avoir, au bout de quelques mois, des effets étonnants. Même les personnes très obèses peuvent y parvenir. Comment ? D'une façon ou d'une autre, car il n'y avait pas une méthode ou un régime ; ils avaient diminué leur prise alimentaire, réduit leur consommation de gras et fait plus d'exercice. Tout simplement. »

Dr Dominique Garrell, endocrinologue et auteur du livre *Question de maigrir*, publié aux éditions Ph.D., cité dans Yannick Villedieu, « L'épidémie du 21e siècle », *L'Actualité*, 15 mars 2001.

L'exercice aérobique réduit les taux de lipoprotéines dans le sang. Une marche rapide et de l'exercice vigoureux sont associés à un risque réduit de maladies coronariennes. Même les femmes qui étaient sédentaires et qui sont devenues actives tardivement, après la quarantaine ou même plus tard, ont vu leur risque coronarien diminuer en comparaison avec celles qui sont demeurées sédentaires.

Toutes les études le démontrent : moins les gens sont actifs et plus leur risque de mortalité et de morbidité cardiaque est élevé. Les femmes inactives ont par exemple un risque cardiaque deux fois plus élevé que celles qui s'adonnent à une activité physique. Voici quelques statistiques qui portent à réfléchir…

- 63.9% des Américains avouent ne pratiquer aucune forme d'exercice durant leur temps de loisirs.

- 56.4% des Américains n'ont pas à effectuer d'effort physique significatif au travail.
- Le pourcentage de calories ingérées par personne entre 1970 et 1994 aux États-Unis a augmenté de 15%.
- 55% des adultes d'Amérique de Nord sont maintenant considérés comme ayant un poids excessif ou comme étant obèses.

Nous sommes assis sur une bombe, et nous risquons d'assister à une explosion de maladies cardiovasculaires. Il faut bouger !

L'activité physique choisie importe peu. Le meilleur exercice est totalement inefficace si on ne le pratique pas. Choisissez une activité que vous aimez et que vous pouvez pratiquer sans problème et amusez-vous ! Plus vous aurez de plaisir et plus vous avez de chance de persévérer.

UNE DEUXIÈME JEUNESSE POUR LES ARTÈRES

Le vieillissement normal entraîne la perte d'élasticité des artères et la perte de leur capacité à se dilater au besoin lors d'exercices. On croyait ce phénomène irréversible. Il n'en n'est rien. Une étude remarquable[66] a comparé la réponse à l'exercice aérobique chez des hommes jeunes (22 à 35 ans) et chez des hommes plus âgés (50 à 76 ans).

Chez les hommes jeunes, les artères se dilatent au besoin, de la même façon, que les hommes soient sédentaires ou actifs du point de vue aérobique. Les hommes plus âgés qui pratiquaient une activité aérobique régulière avaient des artères qui réagissaient de la même façon que celles des hommes plus jeunes. Les hommes âgés sédentaires, cependant, avaient des artères beaucoup moins souples.

On a par la suite demandé à ces hommes sédentaires de pratiquer un exercice aérobique pendant trois mois. La plupart ont choisi la marche. En trois mois, l'élasticité de leurs artères s'était améliorée de 30% et se comparait à celle des hommes jeunes et à des hommes âgés plus actifs.

On peut donc conclure qu'il n'est jamais trop tard pour entreprendre un programme d'exercices aérobiques et que les bénéfices santé d'un programme d'exercices — même très modeste — apparaissent rapidement et sont remarquables.

RIEN N'EST PARFAIT… MAIS PRESQUE TOUT SE CORRIGE

L'exercice aérobique n'augmente malheureusement pas la masse musculaire et même les athlètes voient leurs muscles fondre après 70 ans et parfois même avant s'ils n'ajoutent pas un programme d'exercice de résistance, par exemple avec poids. (Et comme l'autonomie physique est en relation directe avec la force musculaire, l'entraînement en résistance devient essentiel.) L'exercice avec résistance augmente la masse osseuse, augmente la masse musculaire, augmente l'autonomie et diminue le risque de chutes et d'ostéoporose.

Une étude récente du *Journal of Gerontology* montre d'ailleurs un phénomène fascinant : on peut rebâtir ses muscles quel que soit son âge. Des hommes de 60 à 75 ans, ne s'étant jamais entraînés, se sont soumis à un programme intensif d'haltérophilie. Après seulement quatre mois, ils avaient augmenté leur force de 50% à 80%, et avaient des performances semblables à celles d'hommes dans la vingtaine. Cet entraînement a aussi eu un effet positif sur le système cardiovasculaire et sur les proportions des lipides sanguins.

UN PEU DE NUTRITION

Du point de vue nutritionnel, un apport insuffisant en protéines est associé à une fonte musculaire accélérée. Lorsque c'est le cas, une augmentation de l'apport en protéines est essentiel. L'exercice seul ne peut pas rebâtir un système musculaire.

Mais il ne faut absolument pas en augmenter la consommation chez des individus dont l'apport est suffisant. Contrairement à ce qu'en pensent les culturistes, cela n'a pas d'effet sur la masse musculaire, diminue la masse osseuse et surcharge les reins.

Révisons rapidement le métabolisme des protéines. Chaque jour, l'usure normale fait perdre au corps de 30 à 50 g de protéines. Ces pertes doivent être compensées. L'excédent consommé est emmené au foie où les acides aminés (les blocs de construction des protéines) sont transformés en énergie, en glycogène (une sorte de sucre de storage) et en lipides (en gras). Les sous-produits de ce métabolisme passent aux reins où ils acidifient l'urine. Les reins vont alors chercher dans l'organisme des minéraux alcalins (le calcium de l'os) pour neutraliser l'acide de l'urine.

La santé cardiovasculaire et musculaire est donc facile à obtenir : il s'agit simplement de combiner de l'exercice léger, comme de la marche, à de l'exercice léger en résistance et à une alimentation santé variée, comprenant tous les groupes alimentaires.

QUE PEUT-ON CONCLURE ?

- On a noté une diminution vertigineuse de la pratique d'activités sportives en Amérique du Nord. Cet état de faits ouvre la porte à de graves complications cardiovasculaires.
- Il n'est jamais trop tard pour bien faire et commencer la pratique d'une activité sportive à n'importe quel âge est associé à des bienfaits importants pour la santé. (On recommande évidemment aux personnes âgées d'obtenir une supervision médicale.)

Chapitre 19

L'obésité, les régimes et la perte de poids

L'obésité est beaucoup plus qu'un problème cosmétique. Ses multiples comorbidités (conditions médicales associées) rendent essentiel son traitement agressif. Mais ce traitement est extrêmement frustrant pour le médecin qui voit trop souvent ses patients devenir victimes de l'industrie de la perte de poids, perdre du poids pour aussitôt le regagner. Ce chapitre révise les différents moyens employés pour perdre du poids pour permettre aux lecteurs de connaître la meilleure façon de retrouver la santé.

« Tous les régimes fonctionnent dans un premier temps. Mais à plus ou moins brève échéance, ils engendrent tous un énorme taux d'échec. Surtout s'ils provoquent au début " une perte de poids sauvage "... Attention, donc, aux recettes simplistes. Pour véritablement maigrir, on doit perdre non seulement des kilos, mais des habitudes de vie. Et en acquérir d'autres. »

Yannick Villedieu, « L'épidémie du 21e siècle », *L'Actualité*, 15 mars 2001.

« L'industrie de l'amaigrissement n'est-elle pas la seule industrie encore en santé malgré un taux d'échec de près de 100% ? »

L'obésité et la préoccupation excessive à l'égard du poids, étude du Collectif action alternative en obésité (CAAO), novembre 2000.

Avec l'alimentation nord-américaine et la diminution vertigineuse du nombre d'heures consacrées à l'activité physique, l'obésité atteint maintenant des proportions épidémiques partout dans le monde et est devenue un problème de santé majeur dont les implications vont bien au-delà de l'aspect cosmétique. Au Canada, elle affecte 35% des hommes adultes et 27% des femmes adultes. De plus, 16% des adolescents souffrent d'embonpoint et 10% sont considérés obèses[67].

« Après la génération " X ", voici la " XXL " ».

Newsweek, 3 juillet 2000.

« Cela reste tout de même sous le chiffre américain, et le pourcentage de vrais obèses est deux fois moindre au Québec qu'aux États-Unis.

Yannick Villedieu, « L'épidémie du 21e siècle », *L'Actualité*, 15 mars 2001.

Chez l'enfant et l'adolescent, l'obésité est associée fréquemment à une élévation des enzymes hépatiques secondaire à l'envahissement du foie par la graisse. Cette élévation des enzymes du foie pourrait, selon certains experts, progresser vers la cirrhose, et on recommande de traiter agressivement ces patients en les aidant à perdre du poids.

Chez l'adulte, l'obésité est associée à une foule de conditions métaboliques comorbides (hypertension, maladie cardiaque, hypercholestérolémie et diabète de type 2 pour les deux sexes, cancer du côlon et de la prostate pour les hommes, maladie de la vésicule biliaire, cancer du sein, de l'utérus [endomètre] et de l'ovaire pour la femme). Le coût économique et social de l'obésité est énorme et on a estimé qu'elle causait directement 7,8% des coûts de santé aux États-Unis. Au Canada, on a estimé les coûts sociaux et économiques de l'obésité à approximativement 2 milliards de dollars par année.

En perdant du poids, les gens obtiennent beaucoup plus que le simple aspect cosmétique qui motive habituellement les patients :

- ils réduisent les comorbidités : diabète de type 2, hypertension et dyslipidémies, maladie cardiaque et vasculaire, apnée du sommeil, lithiases vésiculaires, goutte, arthrose et les cancers du côlon et de l'endomètre ;
- ils obtiennent une meilleure qualité de vie.

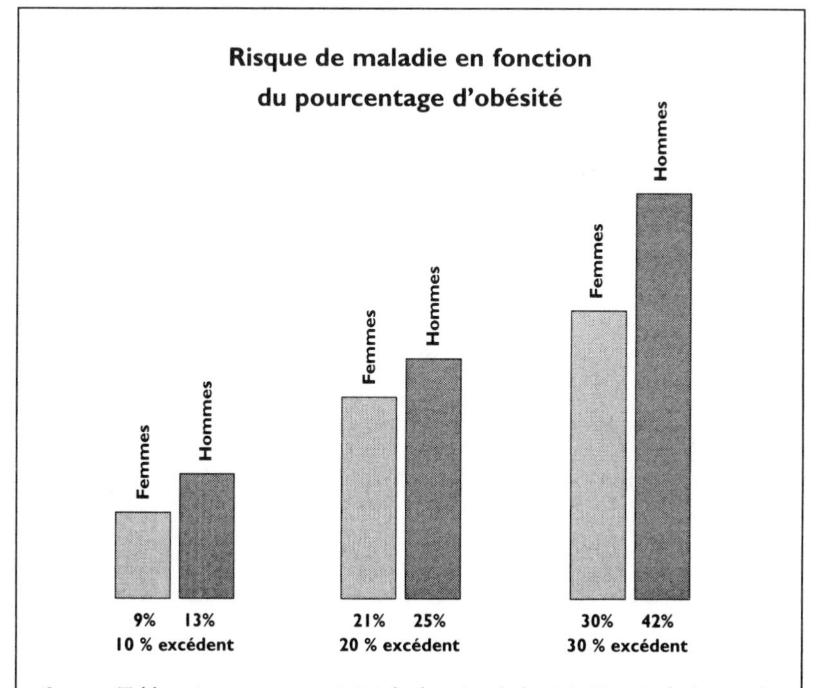

Source : Tableau (en pourcentage) tiré de données de la série *Time Life, le monde vivant.*

Plusieurs études[68] ont montré une relation directe entre l'obésité et la mortalité. Plus grande est l'obésité et plus grand est le risque de décès, quelle que soit la cause. Cette relation est plus importante pour les hommes, en raison du type d'obésité dont ils souffrent (obésité abdominale ou androïde), plutôt que de l'obésité retrouvée dans les fesses, les cuisses et les hanches chez la femme (obésité gynécoïde).

Si on regarde plus spécifiquement la mortalité cardiaque, la prévalence devient encore beaucoup plus élevée chez les hommes obèses que chez les femmes obèses.

Un chercheur de Québec, le docteur Després, s'est penché sur la question. Il cherchait à comprendre pourquoi certains patients, dont le profil de lipides semblait peu impressionnant, souffraient quand même de maladie cardiaque.

Son analyse lui a permis d'identifier certains nouveaux facteurs de risque de la maladie cardiaque. Il a notamment découvert que le risque cardiaque augmentait de façon importante lorsque le tour de taille, mesuré à mi-chemin entre le bas des côtes et le haut des hanches, atteignait ou dépassait 100 cm ou plus chez les gens de 40 ans ou moins et de 90 cm ou plus chez les gens de plus de 40 ans.

Jusqu'à cette découverte, on utilisait l'IMC (indice de masse corporelle), un indice qui correspond à une relation entre la taille et le poids pour définir l'obésité... Cet IMC ne permet malheureusement pas de savoir quel est le risque cardiaque d'une personne... Certains, dont l'IMC est normal, sont quand même à risque élevé d'infarctus. Les facteurs découverts par le docteur Després permettent d'identifier ces gens. Il s'agit simplement de savoir où se font les dépôts graisseux...

- Si le gras se dépose dans les seins, les fesses, les cuisses et les hanches, on parle d'obésité gynécoïde (typique de la femme). Cette obésité n'augmente pas le risque cardiaque.

- Si le gras se dépose surtout dans l'abdomen, on parle d'obésité androïde (typique des hommes).

C'est cette obésité qui est associée à une élévation importante du risque cardiaque, parce qu'elle correspond non seulement à la graisse sur l'abdomen, mais surtout à la graisse dans l'abdomen.

Si on compare un homme et une femme obèses de même IMC, l'homme a deux fois plus de graisse intra-abdominale que la femme et est beaucoup plus à risque de maladie cardiaque... La femme est relativement protégée jusqu'à sa ménopause mais perd cette relative protection après cette période. C'est qu'à la ménopause, la taille de la femme s'épaissit progressivement et, même si son IMC ne change pas, sa proportion de graisse abdominale augmente progressivement et elle rejoint le risque cardiovasculaire de l'homme.

Pourquoi un gros abdomen, quel que soit l'IMC, est-il associé avec un risque élevé d'infarctus ?

L'équipe du docteur Després a découvert que les gens qui souffraient d'obésité abdominale importante et qui présentaient des triglycérides (une forme de gras) à jeun élevés (plus de 2) présentaient un risque de 80% de présenter certains marqueurs biochimiques (la résistance à l'insuline, la présence d'une protéine qui augmente le risque cardiaque [l'apolipoprotéine B] et la présence de particules de cholestérol particulièrement petites, denses et d'un potentiel athéromateux élevé). Cette triade augmente 20 fois le risque de maladie coronarienne chez les hommes dans la cinquantaine.

Plus on est vieux et plus on accumule de graisse dans l'abdomen ; on doit devenir progressivement plus sévère sur le tour de taille avec l'âge.

Les valeurs découvertes par l'équipe du docteur Després — un tour de taille de 100 cm ou plus à 40 ans ou moins ou

90 cm ou plus à plus de 40 ans — sont des valeurs absolues, indépendantes de la taille (hauteur) d'un individu.

Ces valeurs sont associés à 80% avec une résistance à l'insuline et avec la présence de l'apo B (la protéine dangereuse).

LES BONNES NOUVELLES MAINTENANT...

En perdant du poids, le corps se débarrasse préférablement de la graisse viscérale, ce qui veut dire qu'une perte de 4 ou 5 kg seulement se traduit par une baisse énorme du risque cardiaque.

Comme la meilleure façon de perdre du poids consiste à associer certains changements diététiques mineurs (nous explorerons ces changements un peu plus loin) à un exercice modéré, cet exercice va augmenter le cholestérol HDL et ramener le rapport entre le cholestérol total et le HDL à 5 ou moins. (Ce qui est idéal.)

Cette nouvelle méthode de détection du risque cardiaque permet d'identifier des gens qui auraient autrement passé au travers des mailles du filet du dépistage : les hommes non fumeurs, non diabétiques, avec un cholestérol normal mais des triglycérides élevés, qui présentent un IMC normal mais un tour de taille élevé.

LES MÉTHODES POUR PERDRE DU POIDS

La simple recommandation de perdre du poids et les vagues conseils du type « coupez vos portions » et « prenez rendez-vous avec la diététiste » ne fonctionnent pas. Les rendez-vous prenant souvent du temps, les gens ont malheureusement tendance à utiliser la dernière méthode à la mode pour perdre du poids sans efforts.

Certains ont vu le potentiel « énorme » (sans jeu de mots) que représentent les 55% d'obèses en Amérique du Nord. L'industrie de la perte de poids s'en donne à cœur joie, chacun y allant de sa petite théorie et de sa méthode miracle, et les consommateurs bien intentionnés mais mal informés versent chaque année des milliards de dollars pour perdre un poids qu'ils regagneront en général beaucoup plus rapidement qu'ils ne l'avaient perdu. Les méthodes utilisées sont souvent dangereuses pour la santé, font perdre beaucoup trop rapidement du poids aux patients et sont souvent déséquilibrées.

Toutes les méthodes de perte de poids (les bonnes comme les mauvaises) sont basées sur le principe de base suivant : pour être efficaces, toutes les diètes, sans exception, doivent fournir moins de calories que le corps en brûle. Point.

En termes plus élégants, on peut dire que la loi de la thermodynamique est universelle et s'applique aussi aux humains : pour obtenir le poids corporel, il faut soustraire aux calories ingérées les calories dépensées.

Il n'existe que trois façons efficaces pour perdre du poids :

- on peut couper les portions ;
- on peut consommer une diète riche en protéines et basse en glucides complexes ; ou
- on peut consommer une diète haute en glucides complexes et basse en lipides.

Les deux premières façons ne réussissent que très rarement à donner les résultats désirables, soit une perte de poids durable sans atteinte de la santé.

On peut bien sûr perdre du poids en coupant ses portions, mais cette méthode demande une volonté de fer que très peu d'individus possèdent pour que les résultats soient durables... Cette méthode ne s'attaque pas non plus aux déficiences nutritives majeures de la diète des Nord-Américains. Si on considère simplement la vitamine B6 nécessaire pour faire baisser les taux d'homocystéine dans le sang, la consommation quotidienne de légumes verts, de haricots, d'agrumes ou de jus de fruits devrait suffire à fournir à l'organisme les 400 microgrammes d'acide folique qui lui sont nécessaires. Malheureusement, en Amérique du Nord, moins de 5 % de la population suit ce genre de régime.

La faim

La faim explique l'insuccès du conseil « coupez vos portions ». On peut nier sa faim un certain temps, mais elle refait toujours surface et c'est à ce moment que les résolutions s'envolent devant des plats devenus soudain plus appétissants les uns que les autres.

Les diètes à haute teneur en protéines

Les diètes à haute teneur en protéines et basses en glucides complexes comprennent pour la plupart des aliments très riches en lipides et en cholestérol qui ont malheureusement été associés à la maladie cardiaque et au cancer. Ce sont cependant des diètes qui ont été popularisées par des livres nombreux, comme *L'obésité : une maladie qui s'attrape – afin de comprendre la nutrition, maigrir par la chimie alimentaire, pour une approche permanente* du docteur Paul Thomas, par les livres de la « méthode Montignac » et, en anglais, par des livres comme *The Protein Power Life Plan*, et *The Zone* du Dr Barry Sears…

Ces volumes se basent sur une vieille théorie qui dit que l'organisme, avec l'insuline, peut transformer les glucides en lipides (les sucres en graisses). Parfaitement vraie chez les rats et les cobayes, cette théorie est fausse chez les humains[69].

En effet, les humains fabriquent très peu de graisse à partir du sucre : un kilo de pâtes ne produira que deux grammes de graisses. Ce que nous transformons très bien en graisses, ce sont les graisses et les protéines.

Les auteurs des livres faisant la promotion de la consommation d'une diète riche en protéines promettent pourtant de nous sauver du « danger métabolique » de la consommation de glucides complexes, dénoncés comme responsables de la résistance à l'insuline et, par effet rebond, de la maladie cardiovasculaire et du cancer.

On peut par exemple lire dans *The Zone*, du Dr Barry Sears :

« ... *Les glucides défavorables incluent le pain, les pâtes, les grains entiers, le maïs, les pommes de terre et les fruits et légumes à index glycémique élevé comme les papayes, les bananes, le maïs, les carottes — de même que les jus de fruits.* » (Traduction libre)

Le commentaire est curieux et pose beaucoup de questions sur la rigueur scientifique du livre : toutes les études ont en effet montré que les céréales à grains entiers, riches en fibres, préviennent le diabète et la maladie cardiaque, alors que le Dr Sears les accuse de les causer !

L'édition originale du livre, publiée en 1995, contient d'autres affirmations gratuites, contraires à la réalité, mais assénées d'un ton péremptoire.

« ... *Finalement, consommer une diète végétarienne est comme marcher un pas en avant et deux pas en arrière. Alors, pour le patient cancéreux, elle est même moins désirable qu'un régime macrobiotique.* » (Traduction libre)

Toutes les recherches — toutes — prouvent le contraire.

Malheureusement, encouragés par les auteurs de ces livres à consommer encore plus ce qu'ils aiment, les Nord-Américains ont augmenté leur consommation de viande de façon presque exponentielle : en 1999, au Canada, les restaurants ont servi

230 000 repas de steak de plus que l'année précédente. Et comme, en restauration, les portions sont devenues démesurées* et que la quantité de gras a augmenté** , on se retrouve non seulement devant une surcharge en protéines, mais aussi devant une montagne de gras absorbé chaque jour.

Les risques des diètes à haute teneur en protéines

Ces diètes à haute teneur en protéines promettent une perte de poids facile en suggérant que 25% des calories proviennent des protéines, alors que les recommandations « santé » demandent que cette proportion ne dépasse pas 15% à 20%.

Le problème avec cette méthode, efficace pour perdre du poids, est qu'elle présente un risque important pour la santé. Les gens qui suivent ces régimes perdront du poids rapidement au début. Ce sera surtout de l'eau et du sel. Cette perte de poids rapide les encourage. Comme ils consomment peu de glucides complexes, cela augmente les corps cétoniques (des déchets métaboliques), ce qui déprime l'appétit et rend la diète plus facile à suivre.

« L'efficacité de ces régimes riches en protéines et faibles en glucides dépend surtout de la restriction énergétique totale plutôt que de l'effet des protéines elles-mêmes. De plus, ils peuvent induire une perte de poids rapide grâce à un effet cétogène, entraînant nausées et de la déshydratation[70]. »

Mais ce que les gens ne comprennent pas, c'est que même si manger autant de protéines animales qu'on le veut peut sembler intéressant, cette absence de variété rend la nourriture moins at-

* Le diamètre des assiettes est passé de 25 à 35 cm en 30 ans à New York.

** Chez McDonald, un trio traditionnel fournissait 627 calories, alors qu'un trio BigXtra en donne aujourd'hui 1805.

trayante et les gens perdent du poids simplement parce qu'ils absorbent moins de calories. (Loi universelle de la thermodynamique, premier principe de la perte de poids.)

Le problème continue lorsque ces personnes veulent maintenir leur poids, une fois leur objectif atteint. Une diète de maintien à haute teneur en protéines animales de 1600 kcal fournit plus de 800 mg par jour de cholestérol, 20% ou plus des calories proviennent des gras saturés et cette diète contient très peu de fibres.

Ces proportions sont véritablement catastrophiques pour les gens à risque de maladie cardiaque, qui devraient viser des ingestions de cholestérol de moins de 300 mg par jour, avec moins de 10% des calories provenant des gras saturés et beaucoup de fibres alimentaires, plus de 30 g par jour ! Et ce sont ces mêmes gens qui ont été attirés par la promesse d'une perte de poids rapide « pour leur santé » qui sont les plus à risque de maladie cardiaque.

Les gens à risque de maladie rénale sont aussi en danger : sur une période de 20 ans, 20% des gens obèses qui souffrent du diabète de type 2 souffriront aussi d'une atteinte rénale significative. Dans ce cas, un régime à haute teneur en protéines est contre-indiqué. Nous ne savons pas encore si un régime à haute teneur en protéines animales accélère la progression d'une maladie rénale, mais nous avons suffisamment d'éléments pour le soupçonner.

Les femmes d'âge moyen post-ménopausées sont bien sûr à risque d'obésité, mais aussi d'ostéoporose. Les diètes à haute teneur en protéines augmentent la perte en calcium de l'os parce que le corps a besoin du calcium pour neutraliser les produits acides du métabolisme des protéines excrétés dans l'urine. On a estimé que doubler l'apport en protéines de la diète augmente le calcium urinaire de 50%. La consommation d'une quantité excessive de protéines* accélère l'ostéoporose, quoique ce phénomène puisse être ralenti (mais pas renversé) en augmentant l'apport en calcium et en fournissant d'autres sources pour neutraliser l'acide des sous-produits du métabolisme des acides aminés — comme les minéraux trouvés dans les fruits et les légumes — rarement inclus dans une diète à haute teneur en protéines...[71]

Les diètes basses en protéines et hautes en glucides complexes

Par contraste, une alimentation riche en fibres et basse en cholestérol et en gras saturés, riche en gras végétaux, avec une haute proportion de protéines végétales et une consommation totale très modérée en protéines demeurera toujours une excellente alimentation pour la vie. C'est une excellente façon de perdre du poids. Elle ne fournira pas de solution « miracle » — les gens ne perdront certainement pas leur poids très rapidement — mais donnera des résultats remarquables pour la santé à long terme[72].

Pourtant, certains ont beaucoup de difficulté à perdre du poids avec ce type d'alimentation. Même plus : les gens qui font le mauvais choix de glucides complexes augmentent même leur risque de maladie cardiovasculaire.

C'est qu'une diète à haute teneur en glucides complexes et basse en lipides ne fonctionnera que si on la consomme de la bonne manière : la « bonne façon » se trouve dans l'index glycémique des aliments. Chaque glucide (sucre, complexe ou non) diffère des autres par sa capacité à élever rapidement la gly-

* Il faut définir « excessif » ici... Comme les besoins essentiels en protéines sont de 30 à 50 g par jour (un volume équivalent à celui d'un quart de tranche de pain commercial) on peut définir comme « excessive » toute consommation supérieure à 100 g par jour !

cémie. Certains, comme ceux du riz et des pommes de terre, possèdent des indices glycémiques élevés: ils causent une élévation rapide de la glycémie et de l'insuline deux à trois heures après leur consommation. D'autres, comme ceux des fèves et des légumineuses, sont beaucoup plus longs à digérer par l'organisme et produisent donc une élévation beaucoup plus graduelle de glucose et d'insuline dans le sang.

Une étude majeure, menée à l'Université Harvard, a montré que les gens qui consommaient le plus d'aliments à indice glycémique élevé étaient les plus à risque pour la maladie cardiovasculaire. Cette relation était d'autant plus forte que les gens étaient obèses.

Cette relation est facile à comprendre: les gens obèses sont très à risque pour la résistance à l'insuline. En consommant beaucoup d'aliments à indice glycémique élevé, ces gens risquent d'accélérer leur passage vers le diabète et ses complications, notamment la maladie cardiovasculaire.

Revenons à la perte de poids: les aliments varient énormément dans leur indice glycémique... En d'autres mots, chaque aliment sera plus ou moins dense en glucides et en calories. (Et quoique ces deux termes ne soient pas synonymes, nous utiliserons l'une ou l'autre expression dans le texte, car les aliments les plus riches en glucides sont souvent les plus denses en calories, les aliments « allégés » en gras étant souvent même plus denses en calories que les versions régulières du même produit.)

Les fruits, les légumes et les grains entiers possèdent une densité calorique basse. La plupart des aliments « préparés » par l'industrie alimentaire — surtout ceux qui ont été séchés — ont au contraire une densité en calories très élevée: les calories de ces aliments ont été concentrées durant le séchage et la préparation. La surconsommation de ce type d'aliments, présentés comme « santé » parce que bas en lipides, peut expliquer en partie l'épidémie d'obésité qui frappe l'Amérique du Nord. En raison de leur indice calorique élevé, ces aliments préparés apportent au corps beaucoup plus de calories qu'il n'en a besoin. Simplement comme comparaison, les Pretzels, qui ne contiennent pourtant pratiquement pas de gras, fournissent 3750 calories par kilo de nourriture, alors que le gâteau au fromage, beaucoup plus gras que les Pretzels, n'en donne « que » 3200.

Comme plusieurs aliments trouvés au supermarché contiennent beaucoup de gras et ont été séchés, le problème est double : le risque de causer l'obésité est encore plus grand.

Encore la faim

Trop de régimes d'amaigrissement demandent aux gens d'oublier qu'ils ont faim. C'est possible quelques jours, mais pour l'infinie majorité des gens, impossible à faire à long terme. Le secret d'une perte de poids permanente consiste à trouver une façon de remplir son estomac en satisfaisant sa faim, tout en perdant du poids. C'est ici que le choix des aliments devient important. Notre estomac peut contenir de 1 kg à 1 ½ kg de nourriture. La sensation de satiété est créée par le volume de la nourriture dans l'estomac, pas par son contenu en calories ! En ajoutant de la nourriture à chaque repas, on peut augmenter le volume tout en réduisant la densité calorique de ce qu'on mange. C'est exactement l'inverse de ce que la plupart des régimes demandent, soit couper des aliments et réduire les portions !

Pour diminuer la densité calorique d'un repas, il faut y ajouter des légumes et des fruits. Ajoutez par exemple des tomates, des courgettes, des oignons et des champignons à vos pâtes alimentaires... Ou ajoutez des fraises, des bananes ou des pommes à vos céréales du matin. Ou mêlez de la salsa et de l'hummus (purée de pois chiches) et utilisez ce mélange en trempette pour les légumes crus... Votre faim sera satisfaite plus vite, avec moins de calories. Il est fort possible et même probable que vous ayez faim quelques heures après un repas dont la densité calorique est basse. La solution est simple : en manger un autre ! Si la plupart des repas sont bas en calories, vous pourrez même en consommer un à l'occasion, riche en calories, et malgré tout perdre du poids !

Les régimes à la mode

Au cours des années, on a pu assister à l'apparition — puis à la soudaine disparition — d'une foule de régimes déséquilibrés. On pourrait les classer sous le terme général de « régimes des combinaisons alimentaires ».

Le succès de ces systèmes bizarres est facile à comprendre... Ils fournissent un guide très strict avec un apport calorique réduit. Les résultats sont rapides et encouragent les gens... Mais ces résultats rapides ralentissent le métabolisme et le corps reprend rapidement plus que ce qu'il a perdu dès le retour aux habitudes usuelles de manger.

Les systèmes des combinaisons alimentaires vont contre le simple bon sens. Au-delà de la difficulté à séparer les différents nutriments dans un même aliment, la nature veut que ces nutriments soient consommés ensemble : le groupe des vitamines B, par exemple, trouvé dans les glucides complexes, aide à la digestion des acides aminés des protéines... Il devient alors stupide de même penser à les séparer...

D'autres régimes « à la mode » du type Mayo ou Scarsdale, sont totalement déséquilibrés et impossibles à suivre plus de quelques jours :

- Le régime Mayo, qui n'a rien à voir avec la célèbre clinique, est aussi efficace à court terme qu'il est dangereux et déséquilibré. Il interdit de consommer des matières grasses, des féculents, des légumineuses, des sucres et certains produits laitiers. Les gens doivent seulement absorber de la viande et du poisson, des œufs, des fruits et des légumes : perte de poids assurée avec en prime perte d'énergie et de masse musculaire...

- Le régime Scarsdale interdit les féculents et les matières grasses. Peu de problèmes majeurs à court terme, mais il créera rapidement des déficiences en acides gras essentiels et en calcium.
- Le régime Atkins interdit tous les sucres : interdiction de consommer des légumineuses, des féculents, des fruits et des laitages — sauf le yogourt et la crème, à consommer seuls, sans contact avec un autre aliment... Le même régime permet de consommer autant que l'on veut de viande, de poissons, d'œufs et de légumes. Comme le corps est totalement privé de glucides (de sucres, complexes ou non), les usagers de ce régime deviennent rapidement fatigués et comme le régime contient très peu de fibres, il provoque la constipation. En raison finalement des nutriments permis, le mauvais cholestérol monte rapidement dans le sang.
- Le régime Hollywood ne permet que des fruits les premiers dix jours... Par la suite, la viande et les féculents sont permis une à deux fois par semaine. Il y aura perte de poids, conséquence de la perte des tissus gras et de la perte de la masse musculaire. Il y aura aussi faiblesse importante et diminution de la résistance aux infections.

Un autre de ces régimes connaît une vogue certaine et il est essentiel d'en connaître au moins les grandes lignes pour comprendre pourquoi il est nocif. Il s'agit du « régime des groupes sanguins », du naturopathe Peter D'Adamo, basé sur une fumeuse théorie pseudo scientifique. Monsieur D'Adamo explique (et il a raison sur ce point) que certains aliments contiennent des lectines, des protéines qui se lient aux glucides à la surface des cellules. Ces lectines réagiraient, selon lui, de façon négative avec les globules rouges de certains groupes sanguins. Cette réaction provoquerait plusieurs maux: « inflammation » du tube digestif, « ralentissement » du métabolisme, « altération » dans la sécrétion d'insuline, « rupture » de l'équilibre hormonal...

Selon M. D'Adamo, les gens du groupe O devraient éviter l'avoine, le blé et tous les autres grains. Ils devraient — tout comme leurs lointains ancêtres chasseurs (?) ne consommer que de la viande.

À l'opposé, les gens du groupe A devraient éviter la viande et ne consommer qu'une alimentation riche en glucides et faible en lipides.

Les gens du groupe B, seuls autorisés par M. D'Adamo à consommer des produits laitiers, ont droit à une alimentation plus équilibrée que les malchanceux des groupes A et O.

Pour les gens du groupe AB, M. D'Adamo leur a donné une série d'interdits combinant certains des interdits du groupe A et d'autres du groupe B.

Les preuves de M. D'Adamo se fondent essentiellement sur les rapports anecdotiques de gens qui lui décrivent leurs « grands succès » par courriel sur son site web. Jamais il n'a effectué d'étude prospective randomisée (voir le lexique) avec groupe témoin et il n'a jamais soumis ses résultats à une revue pour évaluation par des pairs. Il n'a aucun moyen de vérifier si les internautes qui lui écrivent suivent vraiment son régime et n'a aucune idée des facteurs confondants (voir le lexique).

Au moins, D'Adamo se rend compte que ses préceptes sont déséquilibrés et recommande à ses « patients » de consommer certains suppléments pour éviter des déficits nutritionnels et des problèmes majeurs de santé. Il n'explique cependant pas comment nos ancêtres, sans connaissance des groupes sanguins et sans suppléments nutritifs, auraient pu survivre à des préceptes aussi farfelus.

La découverte des groupes sanguins est très récente. On connaît l'histoire de ce pape qui, souffrant d'anémie, s'était fait transfuser le sang d'un agneau pour se fortifier et qui est décédé d'un choc anaphylactique... Dans toute l'histoire de l'humanité, jamais les gens ne se sont préoccupés de savoir leur groupe sanguin pour manger. Ils consommaient simplement ce qu'ils pouvaient, avec des résultats plus ou moins heureux selon le régime employé.

Les avantages santé de certaines diètes (les diètes méditerranéenne, chinoise et japonaise) bénéficient à tous, quel que soit leur groupe sanguin. Et lectines ou pas, une consommation d'aliments riches en gras saturés est dommageable à tous, sans exception.

Le vinaigre de cidre

Une autre façon de maigrir — inefficace mais populaire parce qu'elle ne demande aucun effort — consiste à consommer des suppléments de vinaigre de cidre. La « théorie » est totalement fumeuse et prouve simplement que ses auteurs ne connaissent rien à la physiologie humaine.

En gros, ils expliquent que le vinaigre de cidre ouvre les « portes » des cellules de graisse et transporte les graisses sur les muscles où elles sont brûlées sans effort. Belle promesse, mais complètement fausse. Aucun vinaigre, de cidre ou de quelque autre nature, n'a jamais brûlé de graisse. Et aucun vinaigre n'a jamais servi de transporteur. Jamais. En fait, s'il y a déjà eu une perte de poids avec le vinaigre de cidre, c'est probablement parce que le portefeuille des gens s'est allégé.

Le jeûne

Inefficace et dangereux, le jeûne a été « popularisé » par une gourou australienne, qui affirme qu'on peut vivre de l'énergie de l'air et de l'eau pure. Les enseignements de cette dame sont maintenant responsables de quelques décès. En Estrie, au Québec, une personne est décédée après un jeûne complet et après avoir cessé son traitement pour le diabète. Il ne faut que quatre jours de jeûne complet pour que le corps se trouve en état de malnutrition, avec détérioration du fonctionnement des systèmes du corps. Jeûner de façon prolongée n'a jamais désintoxiqué qui que ce soit. C'est une façon dangereuse de perdre du poids.

Les jeûnes préconisés un jour sur sept, tels que prêchés dans certaines religions, sont pour leur part plus intéressants : il est impossible de créer la malnutrition en un jour et une étude plus approfondie des effets à long terme de cette pratique religieuse pourrait certainement être envisagée.

L'utilisation des médicaments

De nombreuses personnes, découragées du fait que les diètes miracles ne fonctionnent pas, demandent à leur médecin une prescription d'un coupe-faim. Ce type de médication est évidemment fortement à déconseiller. Le risque d'accoutumance et de tachyphylaxie (voir le lexique) est immense de même que le risque de complications cardiaques par stimulation du métabolisme.

Certaines médications, heureusement retirées du marché, fonctionnaient selon un principe différent mais avaient une fâcheuse tendance à causer de la fibrose pulmonaire et de l'insuffisance respiratoire.

La dernière médication disponible est l'Orlistat, ou Xenical. Il s'agit d'une médication sécuritaire, parce que non absorbée. Essentiellement, elle fonctionne en bloquant la digestion et l'absorption de 30% des gras ingérés. Combinée à un régime à basse teneur en gras, d'environ 1400 calories, l'utilisation du Xenical réduit d'un 30% supplémentaire l'apport en lipides et réduit effectivement cette diète à approximativement 1000 calories.

L'utilisation du Xenical a même des vertus pédagogiques (on apprend vite à limiter sa consommation de gras !) : si 30% d'un peu de gras n'a pas d'incidence majeure sur les selles, 30% de beaucoup de gras induit une diarrhée grasse particulièrement malodorante et beaucoup de crampes abdominales. Cette utilisation n'affecte malheureusement en rien l'apport calorique induit par les glucides, qu'ils soient mangés ou bus en boisson gazeuse ou en alcool.

L'Orlistat coûte cher et n'est remboursé par les programmes privés d'assurance (mais jamais par le programme provincial) que lorsque l'obésité est déjà associée à une foule de conditions comorbides. Il ne devrait être réservé qu'à ces seuls individus. Son efficacité demeure très discrète : une étude publiée en juin 1999 dans l'*American Journal of Clinical Nutrition* a montré que la perte de poids de patients prenant de l'Orlistat était de 5,5 ou 6 kilos après un an, comparé à une perte de 2,75 kilos dans le groupe témoin.

L'exercice

Un régime ne fonctionnera vraiment que s'il est associé à une augmentation du métabolisme de base induite par un exercice modéré. À cet effet, il est intéressant de combiner à l'alimentation une approche à l'exercice basée sur une adaptation de la pyramide alimentaire[73].

Chaque jour :

Marchez un peu plus, que ce soit pour faire marcher le chien ou aller chercher le journal à la tabagie du coin.

Utilisez les marches plutôt que l'ascenseur et stationnez votre voiture de plus en plus loin du lieu de travail pour pouvoir marcher.

3 à 5 fois par semaine :
Commencez un programme d'activités aérobiques : longues marches, bicyclette, nage, tennis, basketball, racketball...

2 à 3 fois par semaine :
Adonnez-vous au golf (sans voiturette) ou travaillez dans le jardin. Commencez aussi un programme de remise en forme de renforcement (levers de poids légers, tractions sur les bras, etc.).

Presque jamais :
Oubliez le plus possible le téléviseur, les jeux vidéo et l'ordinateur.

EN RÉSUMÉ

- L'obésité a maintenant atteint des proportions épidémiques partout dans les pays industrialisés et dans les pays en voie de développement qui voient s'élever leur niveau de vie.
- En raison des risques de comorbidité qui y sont associés, nous devons adopter vis-à-vis de l'obésité une attitude dynamique et agressive de façon à améliorer à long terme notre survie et notre qualité de vie.
- Évitez de tomber dans le piège des régimes miracles à la mode et changez plutôt votre alimentation déficiente, tout en atteignant progressivement un poids santé.

PERDRE DU POIDS DE FAÇON SANTÉ EN 12 POINTS

1. Basez votre alimentation sur les céréales à grain entier, les fruits et légumes et les légumineuses. Ajoutez de petites quantités de protéines animales (un maximum de 100 g par jour) poissons, volaille sans la peau ou coupes de viandes maigres, ainsi qu'un peu de produits laitiers à basse teneur en gras.

2. Jusqu'à ce que vous ayez atteint votre objectif de poids, évitez les nourritures sèches, comme les pains, les biscuits secs et les produits à base de farine.
3. Évitez les aliments qui contiennent beaucoup de gras (tous les gras sont très denses en calories).
4. Pour perdre du poids, mangez plus — pas moins — de fruits et de légumes, bien sûr !
5. Mangez vos calories, ne les buvez pas ! Toutes les boissons sucrées ou les boissons alcoolisées apportent beaucoup de calories à la diète, tout en ne comblant pas la sensation de la faim. Il est important de boire de l'eau. C'est même essentiel. Boire de l'eau ne soulagera toutefois pas votre faim.
6. Établissez un ordre pour manger. Mangez d'abord les aliments à basse densité calorique : commencer le repas avec une salade assaisonnée sans gras et manger des légumes braisés au bouillon vous remplira l'estomac sans vous alourdir de calories inutiles.
7. Mangez fréqüemment : au moins trois repas et deux ou trois collations à basse densité calorique maîtriseront votre faim.
8. Évitez les sucres raffinés : comblez vos besoins en sucre avec des fruits frais.
9. Augmentez votre métabolisme en marchant de 3 à 5 km par jour d'un pas modéré, en 30 à 45 minutes environ.
10. Évitez les aliments préparés, genre sauce à spaghetti du commerce.
11. Apprenez à lire les étiquettes.
12. Persistez : vous allez y arriver !

Partie V

L'INDUSTRIE AGRO-ALIMENTAIRE

« [Certains pesticides] ont été associés à des maladies de l'appareil respiratoire, à des malformations congénitales, à des maladies de l'appareil reproducteur, à une baisse de l'immunité et au cancer… »

Rapport de 1999 du commissaire de l'environnement et du développement durable du Canada.

Chapitre 20

L'industrie agro-alimentaire : toile de fond

EN GUISE D'INTRODUCTION : LE SPORT PROFESSIONNEL DANS VOTRE ASSIETTE ?

Si vous étiez cannibales, vous risqueriez-vous à manger un athlète professionnel ? Probablement pas !

« La majorité des médailles obtenues par la RDA entre 1968 et 1990 l'ont été grâce au dopage. »

Dr Werner Franke, spécialiste en biologie moléculaire, président du Conseil scientifique du Centre allemand de recherches sur le cancer (Heidelberg).

De façon à améliorer les performances de ses athlètes, et au détriment de leur santé, l'ex-Allemagne de l'Est a systématiquement utilisé plusieurs substances — des amphétamines aux hormones de croissance en passant par l'oxytocine, une hormone du cerveau — pendant des années... On expliquait simplement à ces athlètes qu'ils et elles recevaient des « vitamines ».

Les complications sont rapidement apparues : hypertrophie des seins chez les hommes, arrêt de la croissance, pilosité importante, kystes ovariens, stérilité, tumeurs au foie, arrêt des menstruations et autres problèmes gynécologiques...

Cette utilisation des stéroïdes anabolisants et autres substances illicites n'a pas été la prérogative de la seule Allemagne de l'Est. Les substances visant à augmenter les performances sont malheureusement utilisées à grande échelle dans le monde du sport de haut calibre (qu'on pense simplement au scandale récent du Tour de France en vélo).

L'épidémie, parce qu'il s'agit bien d'une épidémie, affecte maintenant les rangs des amateurs en mal de performance :

« Une étude réalisée en 1998 par la Gendarmerie royale du Canada avait fait l'effet d'une bombe dans le milieu sportif canadien. Elle révélait que plus d'un jeune sportif sur cinq au pays fait l'usage de substances dopantes pour améliorer ses performances athlétiques.

Deux ans plus tard, la situation n'est guère plus reluisante... »

Stéphanie Morin, « Reste l'éducation... Et vite ! », *La Presse*, 24 février 2001 (série d'articles sur le dopage).

Même les athlètes qui pratiquent des sports comme le tir à l'arc ont à leur disposition des substances dopantes : produits permettant d'augmenter la concentration ou de ralentir le rythme cardiaque par exemple...

« ... l'incroyable prolifération de substances dopantes, le marché en plein essor des suppléments (créatine, Ma Huang, etc.), les produits excessivement dangereux comme l'hormone de croissance ou l'érythropoïétine (EPO) — une hormone naturellement synthétisée par les reins et le foie, mais qui peut avoir des effets dévastateurs quand elle est administrée sous forme artificielle pour augmenter la production de globules rouges et améliorer l'endurance. »

Dre Cristiane Ayotte, directrice, Laboratoire de contrôle du dopage, Institut national de la Recherche scientifique, Institut Armand-Frappier-Santé humaine.

Plusieurs de ces substances sont aussi utilisées en agriculture moderne, et trop souvent par des gens qui n'en comprennent absolument pas les conséquences.

« Certaines hormones de croissance et suppléments alimentaires couramment utilisés contiennent en effet des farines animales, celles-là mêmes qu'on croit responsables de la maladie de la vache folle. »

Stéphanie Morin, « Reste l'éducation... Et vite ! », *La Presse*, 24 février 2001.

Il est d'ailleurs curieux que plusieurs de ces substances, décriées comme dangereuses pour les humains et interdites dans le sport amateur, soient considérées parfaitement sécuritaires pour la production animale au Canada et aux États-Unis (mais pas en Europe).

Lorsque le seul incitatif est la production au plus bas coût possible et que l'utilisation des hormones de croissance permet d'augmenter la croissance des animaux de 6% à 18%, selon le produit et la dose, il faut s'attendre à ce que plusieurs producteurs fassent usage de ces substances, décriées dans le sport amateur — et exactement pour la même raison : augmenter la performance.

Et comme on ignore complètement comment ces hormones contenues dans la viande que nous mangeons chaque jour interagissent avec notre corps, on peut se poser de sérieuses questions sur la qualité et la sécurité de cette nourriture que la publicité nous présente comme « la meilleure du monde ».

« ... Ainsi, quand les règles sont bien suivies, il ne reste aucune trace d'hormones ou d'antibiotiques dans la viande.

Aucun résidu détectable, s'entend...

... Les inspecteurs de la Commission européenne ont noté qu'il y avait trois niveaux de détection des résidus au Canada...

... Lors d'une mission en 1998, les mêmes inspecteurs européens s'étaient inquiétés de l'établissement des " niveaux administratifs " qui permettent à des viandes avec résidus d'être vendues sur le marché. L'ACIA [l'Agence canadienne d'inspection des aliments] a reconnu que ces niveaux n'étaient pas " légaux " et a promis qu'elle appliquerait désormais la tolérance zéro...

... Mais l'automne dernier, les inspecteurs disent n'avoir jamais pu mettre la main sur une preuve de ce changement de politique et disent avoir constaté que les agents de l'ACIA ignoraient cette nouvelle règle... »

Judith Lachapelle, « Le bœuf à deux vitesses », *Le Devoir*, 24 février 2001.

Le récent rapport de la commission d'observation européenne sur les méthodes d'élevage au Canada est d'ailleurs particulièrement incriminant (voir plus loin).

« *Si un fou imaginait un système de production alimentaire destiné à semer le chaos chez les éleveurs et à exposer les consommateurs aux plus grands risques possibles, il ne pourrait pas trouver mieux que le système actuel.* »

Colin Tudge, de la London School of Economics and Political Science, cité dans « La fièvre aphteuse révèle les fragilités de l'agriculture intensive », Londres, Agence France-Presse.

« *Or l'élevage et le transport en masse des animaux aggravent les risques de contagion, certains experts citant également le stress qui fragilise le cheptel et l'expose d'autant plus aux virus.* »

« La fièvre aphteuse révèle les fragilités de l'agriculture intensive », Londres, Agence France-Presse.

« *Rien n'exclut que les moutons soient touchés par l'ESB [encéphalopathie spongiforme bovine, ou "maladie de la vache folle"] puisqu'ils ont été nourris aux mêmes farines animales responsables de l'épidémie chez les bovins, en Grande-Bretagne, en France et dans le reste de l'Europe.* »

Martine Perez, « Vache folle et mouton fou », *Le Figaro*.

« *Alors que le bétail s'envole en fumée et que la BBC répète* ad nauseam *le sombre décompte des foyers d'infection du pays, ce n'est pas tant la fièvre aphteuse elle-même que les pratiques d'élevage intensif des sociétés occidentales qui sont au banc des accusés. Les consommateurs ont demandé de la nourriture à rabais, ils en paient maintenant le prix.*

Les Britanniques ont eu droit ces dernières années à la salmonelle, à la bactérie E.coli, à la fièvre porcine et à la crise de la vache folle. Aujourd'hui, ils réalisent amèrement que la course à la productivité est souvent à l'origine de ces catastrophes. »

Isabelle Hachey, « Fièvre aphteuse. L'agriculture à la chaîne au banc des accusés », *La Presse*.

La très récente prise de conscience des consommateurs au sujet des OGM (voir le Chapitre 21, p. 173) illustre très bien la carence de la structure de l'industrie agro-alimentaire. Dans le schéma actuel, le producteur est indépendant. Sa préoccupation majeure (peut-on le blâmer ?) est de produire au plus bas coût possible, car il n'y a aucune prime à la qualité.

On peut citer en exemple la production de poulet à chair et de porc. Le producteur est roi et maître chez lui. Certains producteurs (heureusement pas tous), en plus d'utiliser les moulées de soja et de luzerne conventionnelles, mêlées de restes d'animaux impropres à la consommation humaine, « recyclent » les excréments de la volaille. « À une certaine époque, on a même donné des fientes de volailles aux bovins. On ne le fait plus, car en les ramassant on ramassait aussi des cadavres et cela provoquait le botulisme. Mais les Américains continuent à le faire. » (Jeanne Brugère-Picoux, chercheuse de l'École vétérinaire de Maisons-Alfort, citée dans *Le Devoir*, 20 novembre 2000.)

La volaille a en effet un tube digestif peu performant et ses excréments sont très riches en diverses substances nutritives. Ces producteurs utilisent donc les excréments des volailles pour augmenter la quantité de « nutriments » dans l'alimentation porcine. Ajoutez à ce mélange les antibiotiques utilisés quotidiennement dans les moulées pour changer la flore intestinale et augmenter encore plus l'absorption des moulées et vous obtenez la combinaison parfaite pour créer des souches de bactéries résistantes à plusieurs antibiotiques, notamment la salmonellose.

« Pour améliorer la croissance des porcs, 2500 grammes de bacitracine, de chlortétracycline, d'érythromycine, de lincomycine, de néomycine, d'oxytétracycline, de pénicilline, de streptomycine, de tylosine ou de virginiamycine est ajoutée à chaque tonne de moulée et pour la volaille, les mêmes agents sont utilisés, mais dans une proportion de 1400 grammes par tonne de moulée... Jusqu'à 25% des moulées inspectées contenaient des

concentrations d'antibiotiques supérieures aux quantités recommandées. » (Traduction libre)

Khachatourians, G.G., « Agricultural use of antibiotics and the evolution and transfer of antibiotic-resistant bacteria », *Canadian Medical Association Journal*, vol. 159, 1998, p. 1129-1136.

Ces quantités d'antibiotiques supérieures à la normale ne sont pas nécessairement la résultante d'un plan concerté, mais fréquemment le résultat de ce qu'on appelle délicatement dans le milieu des « erreurs de batch »... Certains (sous ?) estiment ces erreurs à 1% ou 2% des mélanges effectués. Les normes existent pour les mélanges, mais les meuneries qui les produisent sont souvent de petites opérations décentralisées dont le personnel n'est pas toujours suffisamment entraîné. Il peut le plus souvent s'agir d'accidents où on a oublié de nettoyer un tuyau ou encore d'erreurs complètes sur le mélange, lorsque la mauvaise formule a été utilisée. Comme ces antibiotiques coûtent très cher, rien n'est jeté. On indemnise simplement le producteur qui n'a « pas exactement » reçu ce qu'il demandait.

Pour compliquer encore plus le tableau, la même question se pose avec encore plus d'acuité dans les fermes qui intègrent toute la production, fabriquant même leurs propres moulées à partir de leurs propres cultures : « de la ferme à l'assiette ». De quelle façon peut-on contrôler la qualité de la production de ces intégrateurs ?

« *Les volailles auxquelles on a donné des antibiotiques sont fréquemment porteuses de souches de salmonellose résistantes aux antibiotiques... qui rejoignent éventuellement les humains au travers de la viande de volaille, des œufs et d'autres nourritures.* »

« L'approbation de fluoriquinolones pour l'usage vétérinaire en Europe a conduit à l'émergence de Campylobacter jejuni résistant aux antibiotiques dans les populations humaines et dans les élevages de poulet. » (Traduction libre)

Khachatourians, G.G., « Agricultural use of antibiotics and the evolution and transfer of antibiotic-resistant bacteria », *Canadian Medical Association Journal*, vol. 159, 1998, p. 1129-1136.

Le problème de cette industrie est structurel : il est extrêmement difficile de gérer un grand nombre de petits producteurs. Mais comme le montre le graphique, la solution ne passe absolument pas par la concentration de la production dans quelques mains. La solution doit venir de demandes spécifiques des consommateurs. Le producteur est absolument capable de fournir de la qualité. Il ne le fait pas simplement parce qu'il n'a

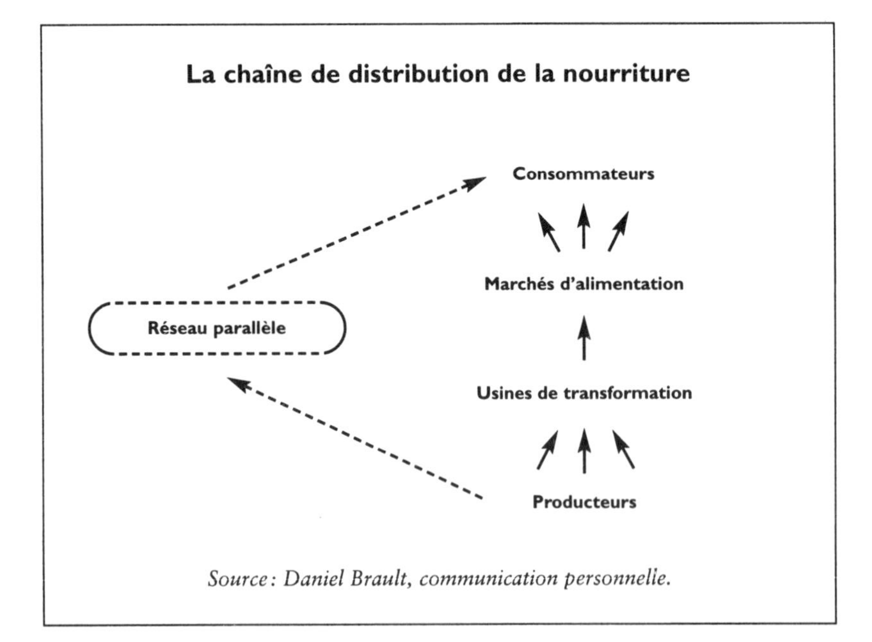

Source : Daniel Brault, communication personnelle.

aucune raison de le faire : le modèle économique est axé sur la production au plus bas coût possible. Mais si le consommateur exige de la qualité, on devra lui en fournir.

L'analyse du graphique montre que l'ensemble des producteurs ne peut envoyer sa production qu'à quelques usines de transformation. De la même façon, la distribution est concentrée dans quelques mains.

Cette concentration permet, faute de concurrence, de passer à peu près n'importe quoi au consommateur. On peut citer en exemple les jolies viandes transformées et barattées offertes aux consommateurs.

Ne vous fiez pas à la publicité : elle dit n'importe quoi. Que le poulet soit refroidi à l'air ou dans l'eau ne veut plus rien dire lorsqu'on le transforme, qu'on le marine, qu'on l'assaisonne et qu'on le baratte.

Ce barattage, absolument légal, permet à l'usine de transformation d'augmenter énormément sa marge de profit. Le principe est simple : on introduit, par exemple, dans un contenant une poitrine de poulet de 100 grammes avec 80 grammes d'eau et d'aromates. On ferme le contenant, on y fait le vide et on brasse. Le vide et le brassage font pénétrer l'eau et les aromates dans la chair, qui se gonfle, et la poitrine pèse soudain 180 grammes. On peut donc vendre au consommateur un poulet

- nourri à la moulée ;
- bourré d'antibiotiques ;
- trop souvent « enrichi » de sous-produits douteux et mal contrôlés ;
- gonflé d'eau et spongieux à souhaits ;

le double du prix qu'on aurait pu en tirer s'il n'avait pas été transformé. Ce processus de barattage s'applique maintenant à bien d'autres viandes.

Et si tout ce cirque n'était pas suffisant, trois sociétés

américaines tentent de produire du poulet modifié génétiquement pour que sa poitrine — et donc la chair blanche — soit plus grosse. L'idée d'utiliser deux poulets ou une dinde pour obtenir plus de chair ne semble pas avoir effleuré l'esprit de ces gens.

Comme le montre le schéma, certains consommateurs, mieux informés, ont décidé de court-circuiter le trajet conventionnel et ont établi des ententes avec certains producteurs. (Il s'agit pour la plupart de producteurs biologiques.) Tout le monde y gagne. Le producteur écoule sa marchandise et le consommateur s'assure d'une production fraîche, constamment renouvelée, et de bien meilleure qualité que les tristes fruits, durs comme des roches qu'on offre trop souvent dans les épiceries.

Sans que tous passent des contrats de services avec les producteurs, ce qui serait impossible à gérer, les consommateurs, comme groupe, peuvent et doivent exiger de l'industrie de recevoir enfin de la qualité dans leur assiette. Faudra-t-il payer plus cher ? Sans doute à court terme ! Mais le coût énorme des syndromes cérébraux organiques (voir le lexique) pour ne nommer que ceux-là, possiblement induits par la consommation « obligatoire » d'énormes quantités de pesticides produits par les plantes génétiquement modifiées (voir le Chapitre 21 sur les OGM, p. 173) sera aussi à mettre dans la balance.

Notre corps a besoin de plus que d'être gavé comme celui d'une oie. Malheureusement, nous nous comportons souvent presque comme des oies lorsqu'il s'agit de nourriture : nous mangeons n'importe quoi, en autant que nous nous remplissions l'estomac. Notre développement comme individu et comme espèce repose sur un équilibre fragile dont nous ignorons encore les tenants et les aboutissants.

La santé a un coût. Mais il ne sera jamais aussi élevé que celui de la maladie.

Chapitre 21

Les organismes génétiquement modifiés (OGM) : le pour et le contre

Les médecins ont fréquemment à répondre aux questions de leurs patients concernant certains sujets « chauds ». Un de ces sujets, les organismes génétiquement modifiés, est particulièrement brûlant en Europe, mais laissait jusqu'à récemment les Nord-Américains indifférents. On voit cependant de plus en plus d'articles dans la presse populaire. Parfois, ils mettent les gens en garde contre les dangers des OGM. Parfois, ils en chantent les louanges. Où est la vérité ? Cette revue du sujet se veut un instrument qui aidera le lecteur à se faire une idée éclairée.

« Après les variétés à haut rendement de la révolution verte, les OGM sont le dernier avatar de cette agriculture industrielle dont les dégâts écologiques sont devenus manifestes à travers toute la planète : pollution des sols, des eaux et même de l'atmosphère, diminution considérable de la biodiversité, résidus toxiques dans les cultures et les produits alimentaires qui en sont dérivés, perte des qualités nutritionnelles et organoleptiques des aliments, uniformisation des saveurs et abandon du lien avec les terroirs, perte de la diversité alimentaire. »

Arnaud Apoteker, membre de la Commission française du développement durable du ministère français de l'Environnement.

« …La biotechnologie intervient au niveau moléculaire, là où les frontières apparemment solides entre les espèces disparaissent. À l'échelle moléculaire, il n'y a pas réellement de

différence entre une personne et une bactérie.»

Eric Grace, *Biotechnology unzipped*, Trifolium books, 1997.

«Jamais, au grand jamais, ces aliments dénaturés ne franchiront mes lèvres. Les modifications génétiques entraînent l'humanité dans un domaine qui appartient à Dieu et à Dieu seul.»

Charles, prince d'Angleterre.

« Une plante peut contenir jusqu'à 50 000 gènes. Nous lui en ajoutons un ou deux. On ne crée quand même pas de nouvelles espèces! Pour se nourrir, l'homme améliore le travail de la nature depuis la préhistoire. Ce n'est qu'un pas de plus.»

Dr Wilf Keller, directeur de la recherche à l'Institut de biotechnologie de plantes, à Saskatoon, où on réalise plus du tiers de la recherche transgénique au Canada.

Ces quatre citations représentent fort bien la polarisation du débat qui entoure la recherche sur les OGM ou organismes génétiquement modifiés. Pour compliquer encore plus le tableau, Santé Canada a décidé d'appeler ces aliments génétiquement modifiés « aliments nouveaux »... Un délicat euphémisme!

Ses protagonistes affirment que «nous sommes à l'aube d'une révolution aussi importante que la révolution verte» (Al Gore, alors vice-président des États-Unis d'Amérique).

Ils croient que l'augmentation constante de la population mondiale oblige à effectuer ces recherches, sans quoi les pays pauvres ne pourront nourrir leur population qui mourra alors de famine. Chaque année, près du tiers des récoltes mondiales est détruit par les insectes ravageurs et les pertes s'alourdissent par les effets indirects secondaires aux lésions occasionnées par les insectes aux plantes.

« *...Une bonne partie des ravages dus aux insectes proviennent justement de l'industrialisation de l'agriculture, qui plante année après année des surfaces considérables de monocultures et favorise les épidémies et les pullulations des insectes. Depuis l'invention des insecticides, les pertes de récoltes dues aux insectes n'ont quasiment pas diminué en pourcentage.* »

Arnaud Apoteker, membre de la Commission française du développement durable du ministère français de l'Environnement.

On nous explique que l'humain partage 98% de ses gènes avec les singes et 95% avec les poissons et les grenouilles. On conclut ensuite que comme les gènes sont des unités de base du vivant et que la plupart sont communs à toutes les espèces, il est normal et absolument pas dangereux de prendre certains gènes d'une espèce pour les ajouter à ceux d'une autre. L'est-ce vraiment ?

Définissons d'abord ce qu'est la recherche transgénique et pourquoi on l'utilise à si grande échelle en Amérique du Nord.

Le processus de sélection des plantes utilisé depuis les débuts de l'humanité consistait à croiser différentes variétés d'une même plante et d'observer le résultat. En clair, on mêlait des milliers de gènes et, par tâtonnement, on cherchait à développer des plantes aux caractéristiques plus intéressantes pour la consommation humaine.

Ce processus est très long. Par contraste, la technologie des organismes génétiquement modifiés permet de choisir spécifiquement une caractéristique désirée. On prend alors le gène responsable de cette « qualité » sur une plante — ou un insecte ou une bactérie ou un virus ou encore sur un animal ou même sur un humain — et on l'injecte dans la plante qu'on désire améliorer.

Théoriquement, cette façon de procéder devrait donner des résultats parfaits à tout coup. Mais ce n'est pas le cas. Un gène est souvent responsable de plus d'une caractéristique d'un être vivant et on peut voir apparaître des caractéristiques non désirées : on a par exemple créé une nouvelle variété de tomate, la FlavrSavr. Cette tomate devait se conserver plus longtemps que les autres en raison d'un mûrissement retardé. De ce point de vue, le succès a été total. Malheureusement, le gène injecté a aussi affecté le goût de la tomate en le faisant disparaître complètement. Échec commercial.

En théorie du moins, les manipulations génétiques des aliments peuvent faire rêver : on parle de créer des variétés d'aliments sur mesure. Dans certains cas, on a déjà rencontré certains succès. Dans d'autres, les recherches semblent très prometteuses :

- En le rendant capable de fabriquer du bêta-carotène, précurseur de la vitamine A, on a récemment créé un riz dans le but avoué d'éliminer la déficience en vitamine A, responsable de la cécité dans certaines populations de l'Asie. La réalité est malheureusement toute autre. En considérant une consommation moyenne de riz de 300 g par jour, « l'apport en provitamine A fourni par ce riz génétiquement modifié ne répondrait qu'à 8% de l'apport quotidien recommandé. Dans ce cas particulier, l'intérêt commercial semble bien outrepasser celui de l'aide humanitaire. » (Isabelle Huot, Dt.P, M.Sc, dans « Avenir de la biotechnologie au Canada — les experts se prononcent et appellent à la prudence », *L'Actualité médicale*, 2 mars 2001.)
- On travaille à la mise au point de variétés de riz que pour-

raient consommer les gens qui sont allergiques aux variétés conventionnelles.

- On modifie les produits laitiers pour en retirer certains éléments comme le lactose ou pour éliminer certaines protéines auxquelles plusieurs sont allergiques. On travaille aussi pour enrichir le lait de certains éléments qu'il ne contient pas comme la lactoferrine, une forme de fer présente dans le lait maternel mais absente dans le lait de vache.
- On a introduit dans une bactérie le gène humain qui permet de sécréter l'insuline. Cette percée majeure permet de fournir à prix raisonnable une insuline humaine parfaitement pure à tous les diabétiques qui en ont besoin.
- On a créé des vaccins comestibles : des chercheurs ont introduit le gène du choléra dans des bananes. En théorie, la consommation de ces bananes pourrait protéger les enfants du choléra. Mais on ignore ce qui arrivera quand les enfants consommeront plusieurs bananes porteuses de ce gène.
- En Australie, des scientifiques ont créé le premier vaccin contre la rougeole dérivé des végétaux. La même remarque que pour le vaccin du choléra s'applique cependant.
- Au Canada, on a augmenté la résistance de certaines variétés de raisin au froid en leur transférant un gène d'un cousin sauvage du brocoli. Cette résistance augmentée permettrait de doubler la production de vin canadienne. (Certains ont pris une approche différente et plus « naturelle » : plutôt que de modifier des espèces de raisins de pays plus chauds, ils cherchent à améliorer les espèces indigènes au Canada, notamment en les hybridant avec des cépages plus « nobles ». N'oublions pas que lorsque Leif Erickson a « découvert » l'Amérique, il a baptisé Terre-Neuve du nom de « Vinland », ce qui veut dire terre de la vigne...)
- Pour fabriquer le fromage, on a développé une enzyme

artificielle, la chymosine, plus pure, moins coûteuse à produire et qui ne nécessite pas l'utilisation d'animaux. Cette enzyme a maintenant remplacé au Canada la présure ou rennine, enzyme naturelle utilisée jusqu'alors.

- On pourrait modifier des plantes pour qu'elles produisent du plastique qui pourrait éventuellement remplacer les plastiques à base de dérivés de pétrole.

Presque tout devient possible. En théorie.

Malgré les succès remarquables de la génétique, le débat contre les OGM fait rage en Europe. On les a même baptisés « nourriture Frankenstein »... Les Canadiens et les Américains y semblent pour leur part complètement indifférents. Au Canada, on exploite déjà pour la consommation humaine 42 espèces transgéniques — une espèce transgénique est une espèce à laquelle on a greffé un ou plusieurs gènes provenant d'une autre espèce. On pourrait par exemple greffer un gène de virus, de bactérie, de plante, d'insecte, d'animal ou même d'humain dans une plante que l'on destine à la consommation humaine.

Rien n'y échappe: plus de la moitié du maïs cultivé au Québec est maintenant transgénique — le maïs dont il est question est le maïs grain, destiné à la consommation animale. À date, les cultivars de maïs sucré ne sont pas transgéniques. On cultive aussi du blé, du soja, de la pomme de terre, du lin, des courges, des tomates... Tous transformés d'une façon ou d'une autre. Le Canada et les États-Unis comptent les deux tiers des 28 millions d'hectares de cultures transgéniques du monde, une superficie qui a triplé en trois ans.

Les arguments derrière la recherche transgénique semblent tout à fait raisonnables et se réduisent à cette petite phrase: comment peut-on être contre la disparition de la faim et de la maladie dans le monde?

Il est en effet impossible d'être contre la vertu. On a vu ce qui est arrivé au riz « enrichi » de pro-vitamines A. On peut donc se demander si c'est vraiment la vertu et l'altruisme qui motivent les multinationales comme Monsanto à investir dans cette recherche...

Certains, malgré les succès notés ci-haut, en doutent. Ils soulignent que près de 80% des superficies plantées de cultures transgéniques sont consacrées à des plantes qui résistent aux herbicides fabriqués par ces mêmes multinationales... Mais pas aux autres ! Seuls les pays riches peuvent se payer ces nouveaux herbicides[74].

Cette résistance sélective rend les producteurs beaucoup plus dépendants des multinationales. Voici pourquoi : contrairement à l'agriculture biologique, l'agriculture industrielle exige habituellement l'utilisation d'herbicides et de pesticides pour tuer les « mauvaises » herbes et les insectes nuisibles aux cultures et permettre la croissance des plantes cultivées.

« Le développement de plantes résistantes aux herbicides est particulièrement éclairant et en dit long sur la volonté des firmes agrochimiques de limiter la pollution par les pesticides, car il conduira automatiquement à une augmentation de la quantité d'herbicides utilisée pour combattre les plantes dites indésirables qui poussent dans les champs. Ce n'est sans doute pas pour limiter l'utilisation du Round-up, son produit phare, que Monsanto développe du soja, du maïs et du coton tolérants au Round-up, ni AgrEvo qui fabrique des plantes tolérantes au Liberty. »

Arnaud Apoteker, membre de la Commission française du développement durable du ministère français de l'Environnement.

Récemment donc, Monsanto a rendu du canola, du soja, du

maïs et du coton transgéniques résistants à un herbicide, le Round-Up Ready, qu'elle fabrique. Cette résistance est extrêmement sélective et l'utilisation d'un autre herbicide a pour effet de tuer les plantes de canola qu'on veut protéger. On est bien loin de la pensée altruiste qui veut que le Tiers monde mange à sa faim!

Les scientifiques qui fabriquent les plantes transgéniques ne semblent pas toujours tenir compte de la capacité d'adaptation des insectes. Déjà, certains insectes peuvent s'attaquer aux plantes transgéniques qui devaient leur résister, et on risque de devoir recourir à des insecticides de plus en plus puissants, avec des effets inconnus sur la santé humaine.

Pourtant, au Canada au moins, on oblige les cultivateurs à semer leurs plants transgéniques à proximité de petites surfaces des espèces traditionnelles pour réduire l'apparition d'une résistance chez les insectes et maintenir l'équilibre de l'écosystème environnant. Il semble que cette précaution soit insuffisante. Le plus choquant, c'est qu'il existe une solution de rechange, naturelle et beaucoup plus efficace pour se débarrasser des insectes nuisibles. Cette méthode n'entraîne aucun développement de résistance aux pesticides. Certaines sociétés et certains petits cultivateurs commencent même à l'utiliser avec un certain succès. Il s'agit d'une technique qui remonte à 1890: l'utilisation des insectes contre les insectes. À cette époque, un puceron réfractaire à tous les traitements chimiques, le pou de San José, dévastait les cultures de mûrier italien. L'entomologiste Berlese eut l'idée d'utiliser l'ichneumon, ennemi naturel de ce puceron. Cette intervention a été couronnée de succès et la sériculture italienne a pu survivre.

Plus près de nous, la société Les Serres du Saint-Laurent, qui produit 50% des tomates du Québec, utilise des insectes avec succès pour plusieurs usages: 50 000 bourdons servent à la pollinisation des plants et on se sert en première ligne de l'ancarcia, un parasite de la mouche blanche, pour contrôler cet insecte nuisible. C'est seulement lorsque le contrôle biologique (que les agronomes des Serres du Saint-Laurent apprennent à utiliser) ne fonctionne pas qu'on utilise les pesticides et les herbicides. Les Serres du Saint-Laurent sont en effet aux prises avec le même problème que les autres agriculteurs industriels : la monoculture, qui favorise l'invasion des insectes.

Il en reste beaucoup à apprendre sur les façons biologiques de réaliser une agriculture industrielle efficace et performante, sans pesticide ou herbicide. Mais le réflexe et l'attitude de cette entreprise sont un pas dans la bonne direction.

Plante modifiée génétiquement par plante modifiée génétiquement, les multinationales de la génétique déposent brevet après brevet, ce qui, éventuellement, pourrait leur donner le monopole sur toutes les ressources alimentaires de la planète. Ces plantes modifiées génétiquement, présentées comme « supérieures », sont en effet en train de remplacer les plantes naturelles. Chaque utilisateur (lire ici chaque cultivateur) devra payer des redevances à la multinationale qui les a mises au point. De plus, le cultivateur n'a pas le droit de conserver les graines non plantées et encore moins de récolter les plants afin d'en extraire les graines et replanter l'année suivante. C'est aussi contre cela que se battent les agriculteurs du Tiers monde.

On assiste présentement à un appauvrissement rapide de la diversité biologique des plantes pour la consommation humaine et, par ricochet, de la vie.

Il existait au début du XXe siècle plusieurs variétés de plantes d'une même espèce. En Italie, on retrouvait 200 variétés d'artichauts. Il n'y en a plus que cinq. Le même pays qui produisait une trentaine de variétés de courgettes n'en produit plus que deux. Et, à la surface du globe, c'est partout le même portrait : les multiples variétés d'une même espèce disparaissent à une vitesse vertigineuse et cèdent le pas aux variétés transgéniques.

On a peine aujourd'hui à retrouver ces multiples variétés et, si ce n'était des efforts de certaines fondations vouées à la préservation de la diversité biologique du globe, elles disparaîtraient bientôt complètement, pour être totalement remplacées par les plantes transgéniques, supposément supérieures mais certainement brevetables et donc rentables. De plus, les généticiens moléculaires tendent à utiliser la même base génétique que celle avec laquelle ils travaillent maintenant et qu'ils connaissent de mieux en mieux[75], ce qui appauvrit encore plus la base génétique des plantes de consommation humaine.

On craint aussi que, par pollinisation croisée, due au vent ou aux insectes, les cultures transgéniques ne contaminent les champs de plantes « naturelles » et les plantes sauvages qui leur sont apparentées. Ce scénario « catastrophe » s'est déjà produit : au Danemark, une mauvaise herbe, la moutarde sauvage, est devenue résistante aux herbicides parce qu'elle a été contaminée par des cultures de colza transgénique, plante à laquelle elle est apparentée.

« *À cause du risque de pollinisation croisée, la distance standard qui sépare les cultivars génétiquement modifiés de ceux qui ne le sont pas devrait être revue.* » (Traduction libre)

« BMA statement on genetically modified organisms », 17 mai 1999.

On pourrait voir des phénomènes semblables avec le riz, les tournesols, les courges, les carottes, le sorgho et plusieurs autres végétaux qui ont des cousins sauvages. Cette contamination ne pourrait cependant pas se produire en Amérique du Nord avec certaines espèces, comme le maïs, le soja, le coton ou les pommes de terre, qui n'ont pas de « parents » sauvages sur ce continent.

Il y a la possibilité de la disparition d'autres espèces, animales cette fois : le grand Monarque, un magnifique papillon, voyage chaque année du Canada au Mexique. Il se reproduit en chemin et ses chenilles se nourrissent des feuilles des plantes présentes dans les champs qu'il survole. On vient de se rendre compte que le pollen des plants de maïs modifiés génétiquement (le maïs Bt), pollen qui contamine les feuilles dont les chenilles se nourrissent, lui est fatal et ces insectes meurent lorsqu'ils en consomment, avec un effet domino possible sur le reste de la chaîne alimentaire.

Le Bt est un pesticide naturel obtenu à partir d'une bactérie du sol, le Bacillus Thuringiensis (Bt), et utilisé depuis des années par les fermiers qui cultivent de façon traditionnelle et même par ceux qui pratiquent l'agriculture biologique. Le gène Bt, « emprunté » à cette bactérie, permet à une plante de produire ses propres pesticides et a même été initialement approuvé par un comité scientifique de l'Union européenne. C'est après que l'opinion publique eut été alertée que les ministres de l'Environnement de l'Union européenne en ont interdit l'utilisation ainsi que celle de toute autre plante modifiée génétiquement.

La question est plus complexe cependant qu'elle n'en a l'air : d'un point de vue toxicité, une recherche à l'Université Cornell a prouvé que si on nourrissait des chenilles de Monarques avec des feuilles contaminées avec du pollen Bt, la moitié mourrait. Il faut savoir que cette recherche n'a étudié qu'une seule sorte de pollen de maïs Bt. Des études plus récentes ont démontré que si certaines espèces de maïs Bt tuaient ou ralentissaient la croissance des chenilles de Monarques, certaines autres ne semblent pas les affecter du tout ou avaient même un effet positif sur leur croissance.

L'étude de l'Université Cornell était aussi une recherche où les chenilles n'avaient pas le choix de consommer des feuilles avec du pollen Bt. D'autres études semblent avoir montré que, lorsqu'elles ont le choix, les chenilles évitent les feuilles contaminées de pollen Bt. Et comme les chenilles ne mangent pas les feuilles du maïs, mais celles d'une graminée qui pousse dans les champs de maïs et dont les fermiers essaient de se débarrasser, les chances que des populations entières de Monarques décèdent deviennent soudain beaucoup plus minces.

Cette notion de « choix » amène quelques questions : d'une part, donnera-t-on le choix aux consommateurs ? Et d'autre part, qu'est-ce que les chenilles de Monarques savent que nous ne savons pas ? Les découvertes récentes de l'étude de Maastricht, aux Pays-Bas (voir plus loin) semblent prouver que les chenilles ont raison d'éviter comme la peste les feuilles contaminées par le pollen Bt.

On peut aussi se demander si le gène Bt est plus dangereux que les insecticides, qui sont déjà utilisés à grande échelle sur les cultures, et qui tuent déjà les papillons. Ici encore, la réponse n'est certainement pas simple...

Pour compliquer le tableau, le gène Bt n'affecte pas que les chenilles de Monarques : on craint que ce gène puisse affecter certains insectes utiles aux cultures. Deux études ont d'ailleurs démontré que lorsque des insectes nuisibles (dans l'étude, il s'agissait de chenilles et de pucerons) se nourrissaient de pollen Bt et étaient dévorés par leurs ennemis naturels (coccinelles et autres coléoptères), ces insectes utiles ne grandissaient pas aussi vite et se reproduisaient moins bien que ceux qui se nourrissaient d'insectes qui dévoraient des plantes non transgéniques. Il est possible que la toxine Bt les ait affectés[76].

« En réalité, l'idée que l'on n'utilise pas d'insecticide avec les plantes transgéniques résistantes aux insectes est contraire à la vérité. Lorsque des plantes insecticides sont disséminées sur des millions d'hectares, la quantité d'insecticide utilisée est en fait incommensurablement plus importante, car chaque cellule de chaque plante va fabriquer une substance insecticide, 24 heures sur 24, sur tout le territoire où elle est cultivée. Cela représente une quantité bien plus importante que lorsque l'on épand des insecticides à des moments déterminés.

On se trouve dans les meilleures conditions pour créer rapidement des « super insectes », qui deviendront résistants à la toxine, rendant les plantes transgéniques inopérantes et obligeant les compagnies agrochimiques à créer de nouvelles modifications génétiques ou de nouveaux insecticides.

Il convient également de remarquer que ces plantes sont manipulées afin de synthétiser leur propre insecticide et qu'elles seront ensuite consommées, par les animaux d'élevage ou les êtres humains. Quels seront les effets de ces insecticides produits par les plantes sur la santé ? Il ne s'agit plus ici de résidus d'insecticides liés à leur application dans les champs, mais d'un composé intrinsèque de ces nouvelles plantes. L'assurance que des toxines Bt se dégradent très rapidement et ont été utilisées depuis plus de quarante ans par les agriculteurs, y compris les agriculteurs biologiques, sans créer de problèmes de résidus ne signifie rien dans ce cas, car la toxine synthétisée par les plantes transgéniques est différente de celle de la bactérie. »

Arnaud Apoteker, membre de la Commission française du développement durable du ministère français de l'Environnement.

À cet effet, une étude récente, publiée dans la revue médicale britannique *The Lancet*[77], soulève de graves questions quant à la sécurité des pesticides. Les chercheurs de l'étude sur le vieillissement de Maastricht ont découvert que les gens qui avaient été exposés régulièrement aux pesticides souffraient cinq fois plus de problèmes cognitifs que la moyenne. Ils avaient des problèmes à identifier des mots, des couleurs et des nombres et présentaient de la difficulté à parler. On peut donc se questionner sur ce qui arrivera lorsque la majorité des gens devront consommer des aliments génétiquement modifiés qui seront pleins de ces pesticides.

D'autres questions restent par ailleurs sans réponse:

On n'a pas la preuve que ces nouveaux produits seront non seulement inoffensifs, et demeureront aussi bénéfiques pour la santé que les espèces naturelles qu'ils remplacent de plus en plus rapidement. En fait, on a même des indications contraires. (Voir plus loin.)

Pourtant, on explique que les OGM ont été plus testés que n'importe quelle autre nourriture du monde. Pour qu'on les mette en marché, les « cultivars » transgéniques doivent répondre à plusieurs exigences. Ces nouvelles plantes doivent être comparées aux variétés naturelles du point de vue de l'innocuité sur la santé et de la valeur nutritive, qui doit être au moins aussi bonne.

- Il faut que la nouvelle plante ait un avantage sur les plantes qu'elle va remplacer.
- Il faut s'assurer qu'elle ne risque pas de devenir nuisible en se propageant et en devenant sauvage.
- Il faut s'assurer qu'elle ne puisse pas se croiser avec des plantes sauvages apparentées pour créer de nouvelles mauvaises herbes. (On a vu plus haut que cette contamination a eu lieu au moins une fois).
- On veut s'assurer que la nouvelle plante ou ses dérivés ne nuise pas aux humains ou aux animaux. (Encore une fois,

l'épisode du maïs Bt montre qu'il est très difficile de tout prévoir et qu'un petit trou dans le filet de protection peut avoir un effet domino sur plusieurs espèces de plantes et d'animaux.)

- Les nouveaux cultivars ne doivent pas avoir d'effets indésirables sur d'autres plantes et sur des insectes. (Déjà, plusieurs insectes sont devenus résistants et peuvent s'attaquer à nouveau aux plantes « protégées » par génie génétique.)
- Les nouveaux cultivars ne doivent pas présenter de différence nutritionnelle qui puisse nuire à l'alimentation animale et présenter une amélioration (selon quels critères ?) par rapport aux cultivars actuels.

Mais les résultats des recherches sont parfois difficiles à interpréter. Certains scientifiques accusent même les multinationales de la génétique d'occulter certains résultats défavorables.

À partir des mêmes études qui ont conclu à l'innocuité des OGM, les experts de la British Medical Association croient que les dommages éventuels des OGM sur la santé humaine pourraient être irréversibles et recommandent l'imposition d'un moratoire sur la plantation de cultures transgéniques.

Le Dre Vivienne Nathanson, directrice de la section sur les politiques de santé et la recherche de la British Medical Association, affirme que « La résistance aux antibiotiques, la menace de nouvelles réactions allergiques et les dangers inconnus causés par l'ADN transgénique signifient que, basé sur les seuls arguments de santé humaine, l'impact des organismes génétiquement modifiés doit être complètement évalué avant qu'on puisse les mettre en circulation. Les implications environnementales et, par conséquent, les effets à long terme sur la santé humaine ne peuvent pas être prédits de façon sécuritaire pour l'instant et il faut par conséquent appliquer le principe de précaution. » (Traduction libre, Dre Vivienne Nathanson,

« BMA statement on genetically modified organisms », 17 mai 1999.)

En fait, on n'est pas sûr de ce qui pourrait arriver, mais certaines études portent à réfléchir : on a noté, par exemple, chez des rats de laboratoire nourris à partir de cultures transgéniques une atteinte du système immunitaire[78].

Certaines études donnent des résultats fascinants : on a créé une race de souris qui développe spontanément, à plus de 90 %, une tumeur mammaire cancéreuse. Cette proportion de cancers demeure constante tant qu'on nourrit les souris de moulée commerciale. Mais elle tombe à moins de 50 % dès qu'on nourrit les souris avec du blé, du pain noir, des carottes et de la levure de bière (tous des aliments non transgéniques)[79].

Tous les protagonistes ont raison sur un point : nous partageons plus de 95 % de nos gènes avec les autres mammifères. Les résultats de cette étude sur les rongeurs devraient nous inciter à la prudence !

Les études épidémiologiques prennent du temps : il faut souvent passer 15 ans à étudier de grandes populations avant de connaître l'effet d'une substance sur le système immunitaire. Plusieurs cancers mettent de 20 à 25 ans à se développer. Les études effectuées sont de trop courte durée pour qu'on puisse conclure quoi que ce soit, et certainement pas que ces substances sont sans danger !

Il a fallu une génération pour se rendre compte que le DDT était un insecticide nocif. Que les OGM n'aient encore tué personne n'est pas, dans ce contexte, un argument très fort en faveur de leur innocuité !

Avec une atteinte du système immunitaire, toute une foule de maladies deviennent possibles : allergies, maladies infectieuses, maladies auto-immunitaires… Ce n'est certainement pas de la science-fiction : on le vit quotidiennement !

- Allergies : en Suède, on a dû cesser la culture de concombres transgéniques parce que leur manipulation provoquait des réactions allergiques de la peau chez les travailleurs. Ailleurs, l'ajout d'un gène de noix du Brésil à des fèves de soja a causé des réactions allergiques sérieuses chez les personnes allergiques aux noix.
- Maladies infectieuses : les cultures transgéniques contiennent des marqueurs de résistance aux antibiotiques. Ces marqueurs servent à tester le succès du transfert génétique. Le danger est réel que cette résistance aux antibiotiques soit transmise par la chaîne alimentaire. (Le problème de la résistance aux antibiotiques est déjà majeur et on prévoit qu'il s'accentuera au cours des prochaines années.)

Depuis des années, la moulée des animaux de ferme contient des OGM et tous, en Amérique du Nord, consomment des OGM sans même le savoir.

« ... par l'exemple des élevages de porcs aux États-Unis qui sont nourris depuis 1995 aux OGM (soja tolérant à un herbicide, le glyphosate, et le maïs résistant à la pyrale via l'expression du Bt)... »

France Brunelle et Daniel Chez, « Les OGM, un tous d'horizon sur... », MAPAQ.

« On devrait interdire l'utilisation de gènes marqueurs de résistance aux antibiotiques dans les aliments génétiquement modifiés puisque le risque pour la santé humaine de la résistance aux antibiotiques est une des menaces à la santé publique les plus sérieuses à laquelle nous aurons à faire face au XXIe siècle ». (Traduction libre)

« BMA statement on genetically modified organisms », 17 mai 1999.

Ce fait peut-il expliquer la résistance de plus en plus grande des bactéries aux antibiotiques, résistance que l'on constate en santé humaine ?

« Le retour d'un gène de résistance aux antibiotiques d'une plante génétiquement modifiée vers des bactéries, pourrait se produire dans deux types de circonstances :

- *un transfert dans le tube digestif des animaux ou de l'homme aux bactéries commensales du tube digestif ;*
- *le passage aux bactéries du sol d'ADN de plantes transgéniques en décomposition, et notamment de leurs racines. »*

P. Courvalin, « Plantes transgéniques et antibiotiques », *La Recherche*, no 309, mai 1998, p. 38-40.

Ou est-ce parce que les animaux sont régulièrement traités avec les mêmes antibiotiques que les humains et qu'on retrouve des traces d'antibiotiques dans notre viande de consommation ?

La résistance aux antibiotiques est probablement un problème multifactoriel, mais il est inquiétant que l'on utilise avec tant de désinvolture les OGM en nutrition animale. Le profit à court terme semble prendre le pas un peu trop souvent sur la prudence.

Les défenseurs des OGM se font rassurants : ces gènes « dangereux » sont détruits par les enzymes de la digestion.

« La protéine ingérée dans la plante transgénique est identique en composition à celles déjà présentes chez la plante. C'est uniquement l'ordre des acides aminés qui est différent. La protéine ajoutée va donc prendre le chemin habituel du système digestif où les protéases, la pepsine de l'estomac et la chymotrypsine de l'intestin, vont la dégrader en acides aminés pour une

assimilation et une utilisation subséquente des acides aminés afin de construire nos propres protéines. »

Tiré de France Brunelle et Daniel Chez, « Les OGM, un tour d'horizon sur... », MAPAQ.

« Les Canadiens peuvent nous faire confiance. »

Margaret Kenney, directrice du bureau de la biotechnologie de l'Agence canadienne d'inspection des aliments du ministère de l'Agriculture et de l'agroalimentaire du Canada.

Le problème, c'est que personne ne sait vraiment ce qui se passe : la façon dont les organes du corps et les hormones de notre système interagissent avec les gènes présents dans la nourriture consommée est totalement inconnue. L'ordre des acides aminés dans une protéine fait une différence énorme pour le système humain. Sinon, comment peut-on expliquer le phénomène des allergies aux arachides ou aux fruits de mer ? Dans leurs protéines, les acides aminés sont identiques à ceux de toutes les autres protéines...

« C'est uniquement l'ordre des acides aminés qui est différent. »

France Brunelle et Daniel Chez, *op. cit.*

Cet ordre différent peut vouloir dire la différence entre la vie et la mort chez un individu allergique.

« À ma connaissance, personne n'a étudié ce qui se produit entre l'ingestion et l'élimination. Comment les acides de

l'estomac, les hormones et les organes du corps humain réagissent-ils aux aliments transgéniques ? Nous ne le savons tout simplement pas. »

Dr Parviz Ghadirian, directeur de l'Unité de recherche en épidémiologie du Centre hospitalier de l'Université de Montréal.

Même si un seul gène est modifié, le danger existe encore... Les modifications génétiques visent à rendre les plantes résistantes aux pesticides, aux insectes ou aux infections. Le résultat final de la modification de ce seul gène peut être majeur.

On craint (et à raison) que cette monopolisation de la nourriture ne nuise aux pays les plus pauvres qui n'auraient pas les moyens de payer pour cette nouvelle technologie alimentaire (la même crainte existe aussi d'ailleurs chez plusieurs agriculteurs d'Amérique du Nord, qui voient d'un très mauvais œil cette monopolisation).

QUE PEUT-ON CONCLURE ET QUE DOIT-ON FAIRE ?

Certaines actions ont déjà été prises : en janvier 2000, 130 pays ont signé un protocole d'entente à Montréal qui leur permet d'interdire l'importation sur leur territoire d'aliments modifiés génétiquement si leur sécurité pour la santé n'est pas évidente. Les pays exportateurs (le Canada et les États-Unis) doivent indiquer sur leurs produits qu'ils peuvent contenir des OGM.

Comme citoyens, je crois que nous devrions exercer des pressions sur nos gouvernements pour qu'un moratoire soit imposé sur l'utilisation des OGM. Nous devrions aussi exiger que les produits contenant des OGM soient obligatoirement étiquetés en ce sens, comme c'est le cas en Europe (quoique cette méthode ait des failles : les moulées servant à nourrir les animaux contiennent très souvent du soja transgénique et, même en Europe, on n'indique pas ce fait sur les emballages de viande).

Je ne crois pas qu'il faille arrêter la recherche: l'utilisation contrôlée de la biotechnologie semble nous offrir le potentiel de résoudre beaucoup de problèmes majeurs de santé dans le monde. Il faudra cependant être beaucoup plus prudent et demander que nos gouvernements fassent passer la santé de leurs citoyens avant des intérêts mercantiles à court terme.

Un peu comme on peut être en faveur de l'énergie nucléaire sans accepter la bombe atomique, on peut être en faveur d'une utilisation intelligente des extraordinaires outils de la biotechnologie (pensons à la production d'insuline), mais contre son utilisation à des fins strictement mercantiles.

Les gens qui prennent le risque d'investir dans une recherche qui coûte énormément cher doivent être rémunérés pour leur risque. Mais on pourrait par exemple établir une durée maximale pour les brevets, comme on le fait dans la recherche pharmaceutique. Cette façon de faire réduirait les risques que l'alimentation du globe devienne le monopole de quelques-uns.

De la même façon, on devrait étudier à long terme les résultats déjà obtenus et leurs effets sur l'environnement avant d'inonder le marché d'aliments biotechnologiques dont on n'a pas vraiment mesuré l'impact sur l'environnement.

D'ici là... Un peu de prudence s'impose. Les avantages de la consommation de fruits et de légumes comme partie intégrante d'une diète de type méditerranéen semblent être, à mon avis, plus grands que les risques potentiels de la consommation de nourriture OGM. Mais il ne faut pas agir avec fatalisme et accepter qu'on nous nourrisse de substances louches.

Et on peut faire plus. Beaucoup plus: on peut, lorsque c'est possible, consommer des produits cultivés ou élevés de façon organique. Ils sont un peu plus chers que les équivalents « industriels », mais infiniment plus riches en saveur et en nutriments. Et, contrairement à ces derniers, ils sont toujours bons pour notre santé.

Commencé comme un mouvement très marginal, l'agriculture organique est devenue le secteur de l'agriculture canadienne à la croissance la plus rapide. En 1989, on retrouvait 600 fermes « certifiées organiques ». En 2001, il y en a désormais plus de 3000, qui produisent de tout, du poulet au bœuf, des œufs aux fruits et aux légumes. Presque la moitié de ces agriculteurs organiques ont converti leurs fermes conventionnelles.

Pour être certifiée organique, une ferme doit être gérée de façon très stricte et subir des inspections régulières. Le cultivateur organique :

- n'emploie aucun pesticide synthétique ou de fertilisant synthétique polluant ;
- n'emploie aucun engrais qui contienne des déchets humains ou industriels ;
- utilise la rotation des cultures pour protéger le sol de l'érosion et de la perte en nutriments ;
- s'oblige à composter tous les déchets animaux pour protéger le sol et l'eau d'une dangereuse contamination bactérienne, comme celle de Walkerton, en Ontario, lorsque de l'eau d'un puits a été contaminée par des coliformes contenus dans des selles animales non compostées. Cette contamination a causé plusieurs décès ;
- n'utilise aucun agent de préservation chimique, aucun colorant, aucune cire ou aucune irradiation pour se débarrasser des bactéries ;
- s'oblige à traiter ses animaux avec éthique : les bêtes ont toujours accès à un pâturage ouvert et disposent de suffi-

samment d'espace pour pouvoir bouger ;
- n'emploie aucune hormone de croissance ou d'agent de promotion de la lactation ;
- n'utilise les antibiotiques que lorsque la vie de l'animal est en danger. Deux épisodes par année sont permis pour chaque vache. Ni le lait ni la viande de l'animal ne peuvent être certifiés organiques si l'animal reçoit des antibiotiques ;
- n'utilise aucun OGM, cela incluant les grains et les moulées ;
- n'utilise aucune farine de viande et d'os pour nourrir ses bêtes (c'est à l'utilisation de farines de viande et d'os qu'on impute l'épidémie d'encéphalopathie spongiforme bovine, ou syndrome de la vache folle).

Il est évident que les fermes organiques ne peuvent à l'heure actuelle nourrir tout le pays. Mais on peut espérer que le nombre des fermes organiques augmente d'année en année, à la demande des consommateurs, exaspérés par les multiples scandales de l'agriculture industrielle.

Vous voulez en savoir plus sur les OGM ? Les sites web suivants vous donneront beaucoup d'information :
- http ://www.larecherche.fr/data/309/03090361.html : Un excellent article de Patrice Courvalin qui explique très bien la résistance aux antibiotiques.
- http ://ohioline.ag.ohio-state.edu/gmo/faq.html : Le site de l'Université d'état de l'Ohio sur les OGM. Instructif.
- http ://www.ucsusa.org/agriculture/gen.market.html : Un site fascinant où vous trouverez la liste de tout ce qui a été modifié génétiquement, approuvé pour consommation aux États-Unis. Le tableau donne aussi le fabricant, la source du matériel génétique et le nom du produit.

- http ://www.rsc.ca : Le site qui présente le rapport du comité d'experts canadiens sur la biotechnologie et les OGM, en version complète et en version abrégée.
- www.hc-sc.gc.ca/food-aliment/francais/sujets/aliment_nouveau/aliment_nouveau.html : Le site de Santé Canada sur les OGM, rebaptisés « aliments nouveaux ».
- http ://cccb.gc.ca : Le site du comité consultatif canadien sur la biotechnologie.

Chapitre 22

$P = ms^2$ ou les problèmes de l'agriculture intensive

On peut traduire ce titre un peu particulier, inspiré du très célèbre $E = mc^2$ d'Einstein de la façon suivante : la Pollution générée par les mégaporcheries et les élevages massifs de bétail est directement proportionnelle à la quantité de Matières fécales et d'urine générée, multipliée par le Carré de la surface occupée par ces gigantesques usines à viande. Quoique cette formule n'ait pas vraiment été calculée, elle est malheureusement près de la vérité.

La situation de l'élevage a complètement changé. Il y a une trentaine d'années, les fermes ne dépassaient pas une vingtaine de vaches laitières et une douzaine de porcs. Pour répondre au désir des consommateurs, on a inventé il y a une cinquantaine d'années en Caroline du Nord le concept de mégaporcherie et d'élevage massif du bétail. Ce concept a été copié partout en Amérique du Nord et est entré de plain-pied dans l'ère industrielle. Malheureusement.

LA CONCENTRATION DE LA PRODUCTION

Au Canada, une cinquantaine « d'industriels du bétail » élèvent chacun entre 5000 et 25 000 bovins par année sur une surface qui pourrait tenir dans un pâté de maison et fournissent 80 % de la production canadienne de bœuf. Pour ce qui est de l'élevage porcin, c'est le Québec qui possède les plus gros élevages : 20 éleveurs produisent la moitié des 7 millions de porcs tués chaque année. Les « usines à viande » deviennent de plus en plus gigantesques : plusieurs pays producteurs de porcs, Taiwan et

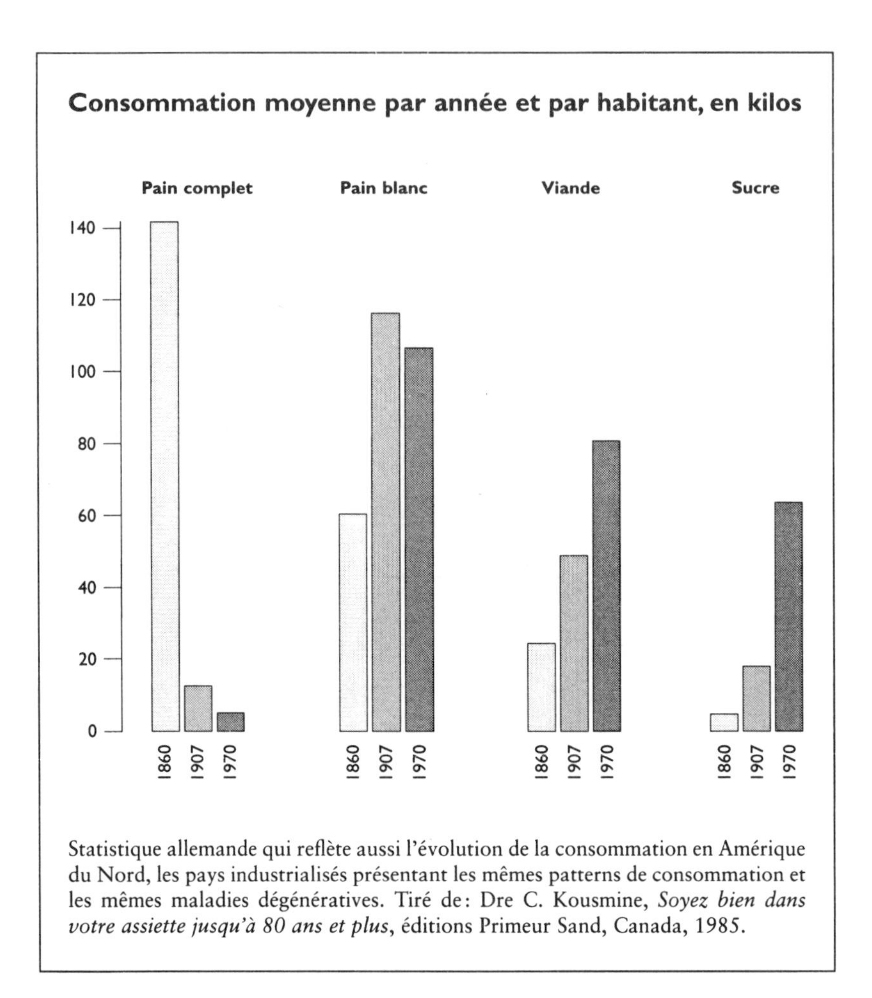

Statistique allemande qui reflète aussi l'évolution de la consommation en Amérique du Nord, les pays industrialisés présentant les mêmes patterns de consommation et les mêmes maladies dégénératives. Tiré de: Dre C. Kousmine, *Soyez bien dans votre assiette jusqu'à 80 ans et plus*, éditions Primeur Sand, Canada, 1985.

les Pays-Bas par exemple, aux prises avec des problèmes graves de pollution et des infections bactériennes secondaires aux conditions des élevages gigantesques chez eux, investissent désormais dans la production porcine au Canada. Taiwan Sugar Corp., société chinoise, voulait construire en Ontario, près de Lethbridge, une mégaporcherie de 80 000 têtes, ce qui aurait produit autant d'excréments qu'une ville de 240 000 habitants. Il y a heureusement eu levée de boucliers et le projet a été abandonné. Les élevages canadiens de porc, pour énormes qu'ils soient, ne se comparent en rien à ce que serait devenu ce monstrueux projet. Beaucoup de travail a été effectué. Citons en exemple la réalisation du portrait agro-environnemental de 18 000 fermes québécoises en 1999, un excellent travail de sensibilisation et d'éducation. Mais même si les quantités d'excréments sont moindres, le problème demeure le même, à une échelle un peu plus petite. Les producteurs ne sont pas des inconscients qui cherchent sciemment à polluer... Ils manquent de moyens et d'incitatifs pour produire des aliments de qualité et pour disposer de façon responsable des déchets environnementaux produits par leurs entreprises.

LES PROBLÈMES GÉNÉRÉS

Au-delà des problèmes directs sur la santé générés par la consommation nord-américaine abusive de viande, cette demande excessive génère aussi des coûts indirects de santé qu'on ne peut plus désormais ignorer.

Ces coûts incluent:

- une utilisation irrationnelle de l'eau potable;
- une énorme pollution engendrée par les fumiers répandus sans aucune forme de transformation ou de compostage dans la nature;
- la destruction quotidienne d'immenses surfaces de forêts dans les zones tropicales;
- la transmission de la résistance aux antibiotiques par la consommation de viande provenant de ces élevages industriels.

Pour donner le ton, voici ce qu'il en coûte pour produire un seul hamburger:

- 795 litres d'eau potable
- 0,79 kilos de moulée

- 5,1 mètres carrés de destruction de forêt tropicale (pour le bœuf élevé en zone tropicale)
- 5,44 kilos de selles et autres polluants organiques produits

(Tiré et adapté de Ed Ayres, « Will we still eat meat ? », *Times*, 8 novembre 1999, p. 72-73.)

L'eau potable

Produire un kilo de bœuf demande 7 kilos de moulée de grains, qui eux-mêmes nécessitent 7000 litres d'eau pour pousser. La production d'un seul hamburger utilise autant d'eau qu'il en faut pour prendre 40 douches avec une pomme économique. Aux États-Unis, pourtant, 70% de tout le blé, du maïs et d'autres grains (génétiquement modifiés) va à la nourriture animale.

Ailleurs dans le monde, alors que les pays en voie de développement voient s'élever leur niveau de vie et passent progressivement à une alimentation de type nord-américain beaucoup plus riche en viande que leur alimentation traditionnelle et perçue à tort comme supérieure, les puits artésiens s'assèchent parce que de plus en plus d'eau sert à nourrir les poulets et les porcs plutôt que les humains. L'Inde, la Chine, l'Afrique du Nord et l'Amérique du Nord présentent désormais des déficits d'eau potable : on y pompe plus d'eau de la nappe phréatique que les pluies ne peuvent remplacer.

« Sous terre, nous épuisons la nappe phréatique trois fois plus rapidement qu'elle ne se renouvelle. »

N. Bunce, *Environmental chemistry*, Winnipeg, Wuerz Publishing, 1991.

La croissance des populations dans les zones semi-arides du

globe obligera éventuellement les gouvernements à obliger les éleveurs à utiliser l'eau pour produire directement des aliments destinés à la consommation humaine plutôt que des grains pour le bétail. Le prix de la viande ne pourra qu'augmenter et on ne pourra plus se permettre l'orgie de protéines animales qui a lieu présentement. Heureusement d'ailleurs.

La pollution

Les fermes qui produisent massivement de la viande animale n'ont plus rien en commun avec les fermes traditionnelles d'antan. Ce sont des usines extrêmement polluantes qui ne donnent que très peu d'emplois, puisqu'elles sont très souvent automatisées.

Au cours des dernières années, les excréments d'animaux de ferme ont été impliqués :

- dans des morts massives de poissons par déversements « accidentels » dans des cours d'eau ;
- dans des poussées répétitives de maladies tels la salmonellose et le campylobacter, une bactérie qui cause des diarrhées sanglantes ;
- dans la mort de plusieurs personnes. Les cas les plus récents étant à Walkerton, en Ontario. Cette petite ville se trouve au centre de six zones d'élevages porcins massifs et sa nappe phréatique est maintenant contaminée par du E. Coli 0157:H7, entraîné par des eaux de ruissellement à partir de réservoirs de fumiers et responsable des diarrhées massives qui y ont tué au moins six personnes. Ailleurs, en Alberta, dans une zone baptisée Feedlot Alley, les élevages massifs ont tué par contamination bactérienne par E. Coli 0157 une douzaine d'enfants en trois ans[80].

En Amérique du Nord, les élevages produisent 130 fois plus de déchets que les humains. Une seule ferme de 500 truies qui donnent chacune 20 petits par an produit plus d'excréments qu'une ville de 25 000 habitants. L'engraissement avant l'abattage de 25 000 bœufs donne 5000 tonnes d'excréments, soit la même quantité que celle produite en un an par un peu plus de la moitié des habitants d'une ville comme Laval, au nord de Montréal ou Nice, sur la Côte d'Azur. Le million d'animaux de Feedlot Alley produit annuellement 2,6 millions de tonnes d'excréments[81]. Le fumier de la province d'Alberta est égal en volume à celui des selles d'une fois et demie la population du Canada[82].

Pour obtenir le prix le plus bas possible et satisfaire la demande des consommateurs, on multiplie au nom du progrès ces usines à polluer à proximité des zones habitées qui voient leur eau de consommation de plus en plus contaminée par ces déchets. Récemment encore, au Lac-Saint-Jean, une société invoquait le progrès pour pouvoir ouvrir une nouvelle usine à cochons et qualifiait de réactionnaires les citoyens qui s'opposaient au « progrès ». Les dirigeants de cette société se disaient confiants que, dans ce cas, le « bon sens » l'emporterait. Que Dieu les entende ! C'est que de ces montagnes d'excréments, rien n'est composté !

Les gouvernements continuent d'appliquer à ces usines les mêmes règlements et la même fiscalité que ceux qui régissaient les petites exploitations familiales d'antan. On les subventionne même à outrance parce que, souvent, ces exploitations seraient autrement déficitaires.

Les producteurs épandent ces fumiers un peu partout, sur le même principe d'ailleurs que les déchets des raffineries de métaux et des cimenteries : on les retient d'abord temporairement dans des étangs ou des citernes, puis on les épand au petit bonheur sur des terres de plus en plus saturées. Ces excréments contiennent de grandes quantités de phosphates et de nitrates, suffisants à eux seuls pour tuer les cours d'eau. Ils contiennent aussi malheureusement des métaux lourds en raison de l'enrichissement des moulées en sels minéraux. Il faut réaliser que le bétail est engraissé avec de la moulée à base d'organismes génétiquement modifiés auxquels on a ajouté des antibiotiques et des sels minéraux qu'on a jugé essentiels en raison de la croissance plus rapide des animaux. Profit oblige. On est bien loin de l'élevage à l'ancienne.

Les excréments contiennent aussi des bactéries, dont le E. Coli 0157:H7, responsable de plusieurs décès.

Si ce n'était pas suffisant, ces usines polluent aussi l'air: selon une étude américaine, les gens qui vivent sous le vent des mégaporcheries souffrent plus de maux de tête, de rhinites, de laryngites, de toux persistantes et d'irritations des yeux que ceux qui n'ont pas à respirer ces odeurs. Le quart des employés des porcheries géantes souffre de bronchites chroniques. Le méthane, l'ammoniac et le sulfure d'hydrogène s'évaporent dans l'air et induisent des maladies respiratoires à des kilomètres à la ronde.

Même si, selon les propres statistiques du gouvernement du Québec, le tiers des élevages n'est pas conforme à ses — très insuffisantes — normes, personne en haut lieu ne réagit. Le Canada a même opposé son veto lorsque les victimes canadiennes de la pollution agricole ont voulu se plaindre devant l'ALENA.

La déforestation

Dans les régions tropicales, en Amazonie et en Indonésie, on brûle la forêt tropicale pour pouvoir élever du bétail. Et comme le sol de ces régions est paradoxalement pauvre, les paysans sont obligés de brûler de plus en plus de forêt chaque année pour que leur bétail puisse survivre. Au nom du progrès. C'est l'agriculture et non pas l'industrialisation qui est la cause première de la déforestation.

Plusieurs médicaments ont été tirés de plantes tropicales : on peut penser notamment en oncologie aux dérivés de la Vinca — vincristine et vinblastine — et, plus récemment, au Taxol, tiré de l'écorce d'un arbre du Pacifique. Plusieurs scientifiques craignent que cette destruction massive de la forêt tropicale, en plus de transformer en déserts des zones encore récemment fertiles, prive l'humanité de médicaments extraordinaires, tout en appauvrissant la biodiversité de notre planète.

La transmission de la résistance aux antibiotiques

Depuis des années, la moulée des animaux de ferme contient des OGM et tous, en Amérique du Nord, consomment des OGM sans même le savoir. Or les cultures transgéniques contiennent des marqueurs de résistance aux antibiotiques, qui servent à tester le succès du transfert génétique. Le danger est réel que cette résistance aux antibiotiques soit transmise par la chaîne alimentaire.

Les animaux de ces méga-élevages sont aussi régulièrement traités avec les mêmes antibiotiques utilisés pour les humains et on retrouve des traces d'antibiotiques dans notre viande de consommation. À cet effet, il est fascinant de constater que les nouvelles directives pour le traitement des infections des voies respiratoires recommandent en première ligne soit l'utilisation de « macrolides » (on les connaît sons le nom de Zithromax et de Biaxin) ou de « céphalosporines » comme le Cefzil et que ces antibiotiques ne sont pas utilisés en santé animale.

« La résistance microbienne aux antibiotiques est à la hausse, en partie parce qu'on utilise mal les antibiotiques en médecine humaine, mais aussi à cause des pratiques de l'indus-

trie agricole. En élevage intensif d'animaux, on administre aux bestiaux d'importantes quantités d'antibiotiques afin de favoriser la croissance et de prévenir les infections. Ces utilisations sont propices à la résistance aux antibiotiques dans les populations bactériennes. Les bactéries résistantes de l'environnement agricole peuvent être transmises aux humains chez qui elles peuvent causer des maladies impossibles à traiter au moyen d'antibiotiques classiques. »

George G. Khachatourians, PhD, Département de microbiologie appliquée et des sciences de la nutrition, Collège de l'Agriculture de l'Université de la Saskatchewan.

« *La quantité d'antibiotiques utilisés en agriculture est énorme : annuellement, on en utilise de 100 à 1000 fois plus que chez les humains. Il faut aussi ajouter à cet usage chez l'animal l'arrosage avec des antibiotiques des récoltes, particulièrement des arbres fruitiers, pour éliminer les bactéries de la surface des fruits.* »

George G. Khachatourians, PhD, Département de microbiologie appliquée et des sciences de la nutrition, Collège de l'Agriculture de l'Université de la Saskatchewan.

Dans le dossier de la viande, on joue parfois aux vierges offensées. Au Canada, il est en effet interdit de donner aux animaux de la moulée contenant des antibiotiques dans les deux semaines qui précèdent l'abattage. La viande des animaux ayant reçu par erreur des antibiotiques durant cette période sera même rappelée, histoire de donner confiance aux consommateurs.

Cette période n'est malheureusement pas suffisante... Le

délai permet bien sûr de faire disparaître certaines traces d'antibiotique mais pas toute*, comme l'a constaté une mission du directorat général de la protection de la santé des consommateurs de la commission européenne en septembre 2000, et il ne sert de toutes façons absolument à rien puisque les bactéries, ayant été en contact avec de petites doses quotidiennes d'antibiotiques, sont déjà devenues résistantes lorsqu'elles passent à l'homme.

« Il y a un potentiel évident pour une atteinte à la santé humaine en raison de la présence de résidus de ces substances (des antibiotiques et des hormones) dans les nourritures canadiennes d'origine animale. » (Traduction libre)

Conclusion de la mission d'inspection de la Commission européenne de septembre 2000 sur la présence de résidus d'antibiotiques et d'hormones dans le bétail canadien et dans la nourriture canadienne d'origine animale.

Même les fruits et les légumes peuvent transmettre aux humains la résistance aux antibiotiques en raison de l'arrosage direct et aussi par la fertilisation du sol à partir des excréments contaminés d'animaux.

Une étude a estimé que les coûts directs dans les hôpitaux pour traiter le problème de la résistance aux antibiotiques aux États-Unis se situaient entre 100 millions et 100 milliards de

* La Commission européenne a découvert les normes administratives canadiennes de résidus antibiotiques et d'hormones de croissance. Selon ces « normes », en autant qu'un antibiotique ou qu'une hormone de croissance soit au-dessous d'un certain niveau, on le considère absent. Miracle des administrations, qui font disparaître des produits dangereux par simple avis administratif ! En d'autres mots, puisqu'on vous dit qu'il n'y en a pas, il n'y en a pas.

dollars américains par année. Le bureau américain d'évaluation de la technologie a estimé que le coût minimal de seulement 5 types d'infections secondaires à la résistance aux antibiotiques (différents types d'infections de plaies chirurgicales et de pneumonies) était de 4,5 milliards de dollars américains (en dollars de 1992 — ce qui correspond environ à 8 milliards en argent d'aujourd'hui)[83].

Dans les élevages intensifs, les animaux sont extrêmement stressés et par conséquent moins résistants. La promiscuité extrême dans laquelle ils se trouvent favorise aussi le développement des infections. Les éleveurs utilisent donc massivement des antibiotiques dans plusieurs buts:

- curatif, à doses massives, lorsqu'il y a infection;
- préventif, à faibles doses quotidiennes, pour éviter l'apparition d'infections;
- et pour favoriser la croissance: les antibiotiques, administrés à faible dose sous forme « d'additifs alimentaires », entraînent une modification de la flore intestinale des animaux qui résulte en une meilleure digestibilité des aliments, une croissance accélérée et par conséquent une consommation moindre d'aliments avec une meilleure productivité pour l'éleveur.

« Lorsqu'on supplémente la moulée à haute teneur calorique des vaches laitières, du bétail pour la viande, des moutons et des chèvres avec de faibles niveaux d'antibiotiques (*i.e.* de 35 à 100 mg de bacitracine de chlortétracycline ou d'érythromycine par tête de bétail par jour ou de 7 à 140 g de tylosine ou de néomycine par tonne de moulée), on note une augmentation de 3% à 5% dans les gains de poids et dans l'efficience de la moulée [c'est-à-dire dans la conversion de la moulée en viande animale][84]. »

Et tant pis pour le consommateur.

« Environ 90% des antibiotiques utilisés en agriculture sont donnés comme agents de promotion de la croissance, plutôt que pour traiter des infections. Les niveaux recommandés d'antibiotiques pour les moulées étaient seulement de 5 à 10 parties par millions dans les années 1950, mais ces niveaux ont été augmentés de 10 à 20 fois depuis. »

G.G. Khachatourians, PhD, Département de microbiologie appliquée et des sciences de la nutrition, Collège de l'Agriculture de l'Université de la Saskatchewan.

La résistance aux antibiotiques est probablement un problème multifactoriel, et il est inquiétant de constater l'utilisation massive des antibiotiques en nutrition animale et végétale.

L'UTILISATION D'HORMONES

La mission d'inspection européenne au Canada en septembre 2000 a permis de mettre en évidence la présence de résidus d'hormones utilisées couramment au Canada pour stimuler la croissance du bétail. Ce qu'il y a de plus inquiétant, c'est que les inspecteurs ont retrouvé des traces d'hormones même dans le bétail supposément élevé sans hormone pour l'exportation vers l'Europe. On peut se demander dans ce cas combien d'hormones sont effectivement utilisées pour la production de viande pour consommation locale. C'est que l'utilisation des hormones est payante : le bétail auquel on donne des hormones de croissance grossit de 6% à 18% plus vite et donne une viande plus tendre et moins grasse. On se sert donc à tout venant d'une longue liste d'hormones : estradiol, benzoate d'estradiol, propionate de testostérone, progestérone, zéranol, acétate de trenbolone et acétate de melangestrol. Il faut cependant nuancer : le Québec impose la prescription d'un vétérinaire pour qu'un producteur puisse utiliser des hormones de croissance sur son cheptel. Cette obligation donne un minimum de contrôle et diminue de façon significative les quantités d'hormones utilisées. Ailleurs au Canada, il est beaucoup plus facile d'utiliser les hormones qui sont disponibles sans ordonnance. Aux États-Unis, c'est carrément le libre marché et chacun utilise ce qu'il veut, quand il le veut et dans les quantités qu'il veut.

Les producteurs québécois s'élevaient jusqu'à présent contre cette loi du Québec, qui les défavorisait par rapport aux autres producteurs canadiens (la prescription vétérinaire leur coûte quelque chose). Maintenant, ils demandent que le règlement québécois soit adopté pour les producteurs du reste du Canada, histoire d'égaliser les coûts de production.

Les Européens s'opposent à cette utilisation des hormones, en raison du potentiel important d'atteintes à la santé humaine. Plusieurs des substances régulièrement utilisées au Canada et aux États-Unis sont en effet considérées carcinogènes en Europe. Une hormone, le 17 beta estradiol, est même considérée comme un disrupteur endocrinien en Europe (cette hormone pourrait interférer avec la maturation du système immunitaire des enfants en diminuant notamment la taille de leur thymus).

LE CAS DU POULET

Présenté par la publicité comme viande « santé », le poulet est une des viandes les plus consommées dans le monde, talonnant maintenant le bœuf. Est-ce vraiment une viande santé ?

La croissance « normale » d'un poulet, de la sortie de l'œuf à l'abattage, prenait 120 jours. Les poulets des élevages industriels obtiennent le même poids en 38 jours. Sa nutrition n'est pas exactement la même. Pour obtenir cette croissance record, on le nourrit de moulée de soja et de luzerne, mélangée de produits « divers » d'origine animale pour lui apporter les « doses requises » de protéines et d'antibiotiques afin d'augmenter l'absorption de la moulée et le poids de l'oiseau.

Ces volailles sont fréquemment porteuses de souches de salmonellose résistantes aux antibiotiques qui atteignent éventuellement l'homme avec la viande et les œufs.

On a approuvé en Europe l'utilisation de quinolones (des antibiotiques extrêmement puissants) en santé animale. Cet usage a résulté en l'apparition de souches résistantes aux quinolones d'Entérobacter et de Campylobacter (des bactéries causant de sévères diarrhées chez l'humain) qui ont infecté les humains ayant consommé de la volaille[85].

ET LE VEAU DE LAIT ?

Certains consommateurs pourraient être tentés de se rabattre sur la viande de veaux de lait, qui ne consomment aucune moulée et sont abattus avant d'avoir pu ingurgiter le moindre OGM. Ils auraient tort. L'élevage des veaux de lait fait appel à des techniques barbares.

Les veaux de lait exploités pour satisfaire la demande de viande de veau blanche demeurent dans l'obscurité d'une étable pendant environ 6 mois, privés du contact de leur mère et de leurs semblables. Éloignés de l'herbe et du soleil, dans d'étroits boxes en bois, ou dans des compartiments individuels, ils ne peuvent pratiquement pas bouger.

Leur tête est liée à un abreuvoir qui au lieu de l'eau contient un liquide artificiel reconstitué, sans aucune alimentation solide, ni paille ou fibre — éléments essentiels à leur bien-être psychique et physiologique —, afin d'obtenir une viande malade appréciée des gourmands et des palais insensibles et ignorants.

Toutes les deux semaines, on leur injecte une hormone qui

augmente leur appétit de façon démesurée. Ils boivent sans arrêt et « gonflent » à vue d'œil. Cette utilisation hormonale est extrêmement néfaste à l'animal qui peut souffrir de pancréatite ou d'hémorragie digestive. Bien sûr, deux semaines avant l'abattage, on interdit toute injection hormonale, de façon à ce que la viande n'en contienne pas de quantité détectable. En espérant que les traces hormonales n'aient aucun effet significatif chez les humains.

LA MALADIE DE LA VACHE FOLLE

En Angleterre, on a dû abattre plus de 170 000 vaches, soupçonnées d'être porteuses de la maladie de la vache folle, ou encéphalopathie spongiforme bovine (ESB). Dans les autres pays d'Europe, la prévalence de cette maladie est mal connue, mais on estime qu'elle varie entre 1,1 (Danemark) et 430 (Royaume-Uni) par million de bovins.

L'encéphalopathie spongiforme bovine a une période d'incubation de trois à six ans pendant laquelle ses victimes ne présentent aucun symptôme. Comme on abat les vaches destinées à la production de viande vers l'âge de 2 ans et les vaches laitières épuisées par leur lactation entre 4 et 6 ans d'âge, la commercialisation de la viande infectée a lieu avant que l'animal ait présenté le moindre symptôme.

Cette maladie est apparue chez les vaches en Angleterre parce qu'on « enrichissait » leur moulée avec de la moulée issue de cadavres de moutons qui souffrent d'une condition semblable, la « tremblante » du mouton. Le prion (voir le lexique) qui cause « la tremblante du mouton » a muté et infecte maintenant les vaches.

Il se consomme, d'après des données du gouvernement britannique, environ 800 animaux infectés chaque semaine et on sait que le prion de l'encéphalopathie spongiforme bovine peut infecter les humains et tue les gens après 10 à 20 ans d'incubation sans aucun symptôme*.

Plusieurs décès ont déjà eu lieu: en date du 3 juillet 2000, 74 personnes avaient été infectées en Angleterre (tous de gros amateurs de viande de bœuf). De ces cas, 67 étaient décédés. L'augmentation des cas de Creutzfeldt-Jakob laisse craindre le début d'une épidémie, qui pourrait toucher, selon les estimations, de 100 à 500 000 personnes[86].

Le décès, en 1999, d'un homme de 74 ans, atteint de la nouvelle forme de Creutzfeldt-Jakob soulève d'ailleurs la possibilité qu'un segment de la population beaucoup plus grand encore a pu être contaminé par le prion de l'encéphalopathie spongiforme bovine et oblige le gouvernement britannique à refaire à la hausse ses calculs quant au nombre des victimes potentielles de cette nouvelle maladie.

« Il y a beaucoup d'incertitude quant à la période d'incubation et nous devons considérer toutes les possibilités... Si la période d'incubation est courte — et cela est un scénario optimiste — disons huit ans, alors nous devrions voir le pire de l'épidémie cette année et l'an prochain. Si, et c'est tout aussi probable pour le moment, la période d'incubation est longue — de vingt à trente ans — alors nous n'avons vu qu'une infime partie de l'épidémie. Nous sommes incapables de dire avec certitude quels seront les nombres réels de victimes humaines. »

Prof. Roy Anderson, épidémiologiste au Collège impérial britannique et membre du comité consultatif du gouvernement britannique sur l'encéphalopathie spongiforme bovine[87].

---

*Cette estimation est très approximative. On ne connaît pas vraiment la durée réelle d'incubation. On nage ici en pleine spéculation.

Une étude publiée dans l'édition du 21 décembre 1999 de la revue *Proceedings of the National Academy of Sciences* a même démontré que les prions de la maladie de Creutzfeldt-Jakob et ceux de l'encéphalopathie spongiforme bovine étaient interchangeables et que l'appartenance à une espèce animale particulière ne procurait aucune protection, le prion infectant toutes les espèces de façon indifférente. En d'autres mots, le prion semble avoir la capacité d'infecter toutes les espèces animales, y compris les humains.

Les humains pouvaient déjà être infectés par le prion de Creutzfeldt-Jakob, un prion apparenté à celui de l'encéphalopathie spongiforme bovine. On croit cependant que la nouvelle maladie est différente : elle affecte une population plus jeune et se comporte de façon différente.

Contrairement au Royaume-Uni, où la maladie a atteint un sommet en 1992, le nombre d'animaux infectés est en croissance constante dans les autres pays d'Europe, malgré des mesures que certains considèrent draconiennes.

En France, par exemple, on a interdit en 1990 les farines de viandes et d'os (appelées *meat meal* au Canada) pour les bovins servant à la production de viande, mais on continue encore aujourd'hui à les permettre pour les vaches laitières. Celles-ci forment d'ailleurs l'immense majorité des vaches atteintes de l'encéphalopathie spongiforme bovine.

La raison pour laquelle on permet encore l'utilisation de ces farines de viandes et d'os dans l'alimentation des vaches laitières est fort simple : pour atteindre une production démentielle de lait allant jusqu'à 10 000 litres par an, on doit supplémenter l'alimentation de ces « usines sur pattes » avec des concentrés de protéines.

Bien sûr, on a interdit en 1996 l'utilisation des cadavres d'animaux dans la fabrication des farines de viandes et d'os. On a aussi interdit en même temps l'utilisation de farine de viande et d'os d'origine bovine pour l'alimentation des ruminants (mais pas pour l'alimentation d'autres animaux) et l'utilisation des « matières à risque spécifié » : la cervelle, la moelle épinière, les tissus lymphoïdes et nerveux... Et l'iléon terminal, partie du petit intestin d'où le prion est probablement absorbé. Le projet initial était plus prudent : on voulait exclure pour la consommation humaine la totalité de l'intestin des bovins nés avant 1998. Mais la levée des boucliers des bouchers travaillant en charcuterie a été telle qu'on a décidé de seulement exclure l'iléon terminal. Comme quoi la pression de groupes de lobbying est parfois assez efficace pour faire reculer des mesures de protection publique.

Et pas besoin d'être devin pour comprendre que la contamination alimentaire vient probablement d'une contamination croisée : on a simplement donné aux bovins — plus par négligence que par fraude — des aliments qui ne leur étaient pas destinés.

Aucun cas de maladie de la vache folle n'a été diagnostiqué chez les humains aux États-Unis ou au Canada. Mais, même si on se plaît à penser que cette possibilité est lointaine, elle existe cependant : au Canada, tout comme en Europe, les normes de l'industrie, appelées normes HACEP, permettent l'utilisation des farines de viande et d'os dans l'alimentation des vaches laitières. Les méthodes de contrôle canadiennes des viandes — par lots plutôt que par animal — rendraient extrêmement difficiles l'identification de la source d'une infection comme la maladie de la vache folle (encéphalopathie spongiforme bovine) si une telle infection venait à se produire au Canada.

Les États-Unis font face au même problème.

« D'abord, de 1990 à 2000, les statistiques du programme

de surveillance de l'encéphalopathie spongiforme bovine du Laboratoire national des sciences vétérinaires montrent qu'on a examiné pour éliminer cette maladie seulement les cerveaux de 11 954 des 900 millions de bovins abattus (1 à chaque 75 000). [Note du traducteur: on en teste 20 000 par semaine en France.]

Ensuite, ces examens ont été effectués en raison de la présence de symptômes neurologiques. Mais ces symptômes ne se manifestent chez les animaux que vers l'âge de cinq ans, bien après que les animaux ont été abattus.» (Traduction libre)

The Physicians Committee for Responsible Medicine, «Doctors Call for Stronger Action against Mad Cow Disease», *NEWS RELEASE*, 24 janvier 2001.

Sauf pour une très courte période pendant laquelle le Canada, les États-Unis et le Mexique ont décrété un embargo sur l'importation de viande bovine provenant du Brésil, le Canada a toujours importé de la viande de ce pays.

L'embargo remonte au 2 février 2001 et avait été imposé parce que, même s'il n'y a jamais eu de cas rapporté d'encéphalopathie spongiforme bovine au Brésil, les mesures de protection du Brésil contre l'encéphalopathie spongiforme bovine (ESB) n'étaient pas, selon les Canadiens, suffisantes et que le risque était réel qu'il y ait déjà eu contamination d'animaux au Brésil. La raison en était simple: le Brésil avait importé dans les années 1990 environ 5000 bovins d'Europe.

L'embargo a rapidement été levé le 23 février après que « [Le] département américain de l'Agriculture a fait savoir qu'il n'avait trouvé aucun indice permettant de penser que la viande brésilienne était affectée par l'ESB ou sa variante humaine. "Les importations peuvent donc reprendre immédiatement", a-t-il indiqué. » (Reuter, « Le Canada lève l'interdiction sur le bœuf brésilien », *La Presse*, 23 février 2001.)

En fait, le Brésil a dû se soumettre à des mesures draconiennes : les autorités du pays ont instauré une loi qui exige que tous les bovins provenant d'Europe soient retracés, abattus, incinérés ou enfouis profondément. Les seuls animaux désormais acceptés pour l'importation au Canada, au Mexique et aux États-Unis doivent provenir d'animaux nés et élevés au Brésil et exclusivement nourris de fourrage herbager et non de protéines animales. On sait l'inefficacité des services d'inspection canadienne des viandes (le rapport de la commission européenne d'inspection est incriminant à cet effet). Rien ne porte à croire que l'organisme brésilien équivalent soit beaucoup plus efficace. Et lorsqu'on connaît les délais entre la contamination d'un animal et l'apparition des symptômes et qu'on sait que les animaux sont souvent abattus avant de présenter le moindre symptôme, on est en droit d'être inquiet. Très inquiet.

En ce sens, il faudra désormais être extrêmement prudent dans la consommation de charcuteries importées d'Europe et de produits de viande importés du Brésil et ce malgré les réassurances des gouvernements.

On peut prendre un autre exemple : aux États-Unis, la Food and Drug Administration (FDA) interdit depuis 1997 l'utilisation des farines de viande et d'os pour nourrir le bétail. Cette règle est peu connue, mal comprise et certainement très mal appliquée et certains éleveurs eux-mêmes ont alerté la FDA au début de l'an 2001 quant à l'utilisation actuelle des farines de viande et d'os dans la nutrition du bétail. Au Texas, on a même mis, en janvier 2001, un troupeau complet en quarantaine, puisqu'on soupçonnait les animaux d'avoir été nourris avec ces farines.

À date, pas plus aux États-Unis qu'au Canada, on n'a rapporté un seul cas du syndrome de vache folle. Mais compte tenu du délai d'incubation du prion et de l'abattage systématique du bétail avant que les symptômes puissent apparaître, le risque est malheureusement réel de voir la maladie apparaître dans un délai assez court en Amérique du Nord.

Certaines observations semblent même suggérer que, malheureusement, il existe déjà une forme de l'encéphalopathie spongiforme bovine en Amérique du Nord.

> « *On a trouvé des preuves indirectes qu'au moins certains bovins seraient infectés avec le virus de l'encéphalopathie spongiforme bovine. Ces preuves proviennent des fermes d'élevage pour la fourrure où les visons sont nourris de moulées produites à partir de cadavres de bovins. À au moins cinq reprises, les visons nourris de cette manière ont développé une maladie appelée encéphalopathie transmissible du vison, très semblable dans ses symptômes à l'encéphalopathie spongiforme bovine*[88]. *Après une épidémie d'encéphalopathie transmissible du vison en 1985, à Stetsonville, au Wisconsin, des chercheurs ont injecté du tissus cérébral des visons décédés à des vaches Holstein. Ces vaches ont développé l'encéphalopathie spongiforme bovine. Ils ont ensuite nourri des visons en santé avec les restes des vaches décédées et ces visons ont rapidement développé l'encéphalopathie du vison*[89]. *Devant la preuve que la maladie des visons était secondaire à la consommation des nourritures basées sur les bovins, les chercheurs ont conclu : "[Si] c'est vrai, il existe alors une forme non reconnue d'encéphalopathie spongiforme bovine dans le bétail américain ".* » (Traduction libre)

The Physicians Committee for Responsible Medicine, « Doctors Call for Stronger Action against Mad Cow Disease », *NEWS RELEASE*, 24 janvier 2001.

Il est même possible que la maladie puisse apparaître chez les humains sans que les bovins soient infectés. Il existe deux autres portes pour l'entrée du prion dans le corps humain : les suppléments nutritifs utilisés par les athlètes amateurs et professionnels en constituent la première.

« Car croyez-le ou non, la folie de la victoire à tout prix et la recherche du corps parfait poussent les jeunes athlètes à consommer des produits aujourd'hui bannis... dans l'alimentation des bovins !

Certaines hormones de croissance et suppléments alimentaires couramment utilisés contiennent en effet des farines animales, celles-là mêmes qu'on croit responsables de la maladie de la vache folle. »

Stéphanie Morin, « Reste l'éducation... Et vite ! », *La Presse*, 23 février 2001.

La deuxième source non réglementée de contamination potentielle m'a personnellement mis dans un dilemme moral important : il s'agit de l'utilisation de sérum de bovins dans la préparation des vaccins humains. La FDA (Food and Drug Administration) « estime » extrêmement faible le risque d'attraper la nouvelle variante du Creutzfeldt-Jakob entre 1 sur 40 milliards de doses et 1 sur 2,4 millions de milliards de doses. Cet éventail de possibilités totalement fantaisiste semble avoir été trouvé tout à fait au hasard et ne repose sur aucune base scientifique[90].

Voici la situation :

Il y a huit ans, la FDA a demandé aux entreprises pharmaceutiques de ne pas utiliser du sérum de bovins provenant de pays où il y avait un risque réel d'encéphalopathie spongiforme bovine.

Il y a sept ans, elle leur a recommandé fermement de ne pas le faire.

Mais ce n'est qu'en décembre 2000 qu'elle leur a donné l'ordre de ne plus le faire.

Les vaccins fabriqués jusque-là demeureront cependant sur les tablettes jusqu'à ce qu'on ait développé de nouveaux médias de culture.

Ces vaccins sont nombreux : on retrouve ceux de la grippe, de la polio, du DCT, de l'anthrax, de la rage, de l'hépatite A et B et du pneumocoque.

Certains autres produits pharmaceutiques utilisent des sous-produits bovins comme des gélatines, mais on ne peut savoir lesquels en raison de « secrets de fabrication ».

La Grande-Bretagne a exporté en 1997 trente-sept tonnes de sous-produits bovins aux États-Unis. C'est seulement en décembre 2000 que l'agence américaine des médicaments (USDA, US Drug Agency) a banni les additifs de moulées fabriqués à partir de poulets et de porcs qui auraient pu eux-mêmes avoir été nourris de bovins infectés.

Mon dilemme est le suivant : il y a quelques années, il y a eu une révolte contre la vaccination antipolio au Japon et en Angleterre parce qu'on soupçonnait le vaccin de causer une atteinte neurologique grave (ce soupçon s'est d'ailleurs avéré plus tard non fondé). La couverture vaccinale a chuté et, quelques années après, il y a eu des mini-épidémies de polio avec plusieurs décès dans ces pays.

Le problème me semble du même type que celui de la récente contamination du sang par le virus de l'hépatite C... Quoique, de moindre amplitude à mon avis. Personnellement, je crois que le risque de contracter la nouvelle variante de la maladie de Creutzfeldt-Jakob est infiniment plus faible que celui de ne pas vacciner et de se retrouver devant un grand nombre de décès à court terme. Pour des raisons de santé publique, je continuerai donc à recommander la vaccination à mes patients. Peut-être suis-je, selon les mots de la psychiatre Colleen Clements, un optimiste cynique.

La maladie de Creutzfeldt-Jakob pourrait même déjà avoir commencé à contaminer des Nord-Américains :

« *Le monitoring de la maladie humaine est encore plus difficile : les encéphalopathies transmissibles ne sont pas encore des maladies à déclaration obligatoire pour les Centres de Contrôle et de Prévention des Maladies. Les gens qui présentent des signes de démence due à cette condition pourraient facilement être mal diagnostiqués comme souffrant d'Alzheimer ou d'accident vasculaire cérébral et la plupart de ceux qui décèdent de maladies neurologiques ne subissent ni autopsie ni examen du cerveau.*

Il n'y a simplement aucun moyen de savoir si la maladie de Creutzfeldt-Jakob a commencé ses ravages aux États-Unis. Les certificats de décès de 1979 à 1990 montrent que 2614 personnes sont décédées de la maladie de Creutzfeldt-Jakob aux États-Unis. On présume bien sûr qu'il s'agit de la forme classique de la maladie, et non pas de la nouvelle forme, qu'on croit secondaire à la consommation d'animaux contaminés. Mais on ne peut pas en être certains. Quoique la plupart des patients étaient plutôt âgés (ce qui suggère la forme classique), certains étaient même plutôt jeunes : 23 étaient dans la trentaine et 3 dans la vingtaine[91]*. De plus, il s'agit probablement d'une sous-estimation due à des diagnostics erronés et à un manque de déclarations.* » (Traduction libre)

The Physicians Committee for Responsible Medicine, « Doctors Call for Stronger Action against Mad Cow Disease », *NEWS RELEASE*, 24 janvier 2001.

Pour éviter l'apparition (si ce n'est déjà fait) de la maladie de la vache folle et celle du Creutzfeldt-Jakob chez l'humain, des mesures draconiennes s'imposent. Le Physicians Committee for Responsible Medicine en a établi cinq :

- Bannir l'utilisation de moulées enrichies de farines de viande et d'os pour toutes les espèces animales en raison du risque que ces moulées soient données à des ruminants (bovins, chèvres et moutons).
- Interdire l'utilisation des sous-produits animaux dans toute médication, cosmétique ou supplément alimentaire.
- Étiqueter tous les aliments contenant des dérivés animaux (gélatine ou « saveur naturelle ») en indiquant la présence de ces dérivés animaux et l'espèce d'origine.
- Obliger à identifier par un texte sans équivoque tout aliment qui présente un risque de Creutzfeldt-Jakob (les aliments préparés à partir du petit intestin, par exemple, comme plusieurs charcuteries), en utilisant pour modèle les textes avertissant des dangers du tabac et de l'alcool.
- Établir des programmes efficaces d'identification de la maladie chez les animaux et les humains.

QUE PEUT-ON CONCLURE ?

- En raison de la consommation énorme de viande, la diète nord-américaine est dangereuse pour la santé, ne serait-ce que du point de vue cardiaque. Les méthodes de l'élevage industriel générées par cette consommation abusive créent aussi un problème sérieux de résistance aux antibiotiques chez les humains — ce qui augmente de façon énorme les coûts de santé — et deviennent une menace majeure à l'environnement planétaire.
- Les techniques d'élevage industriel ont aussi causé des infections gravissimes en Europe et le risque que de telles

infections se produisent aussi en Amérique du Nord existe malheureusement. Ce risque devrait forcer les éleveurs et les fabricants de moulée animale à en réviser les modes « d'enrichissement » et à développer des méthodes de contrôle qui soient plus efficaces que ceux de type passoire dont nous souffrons présentement.

- L'industrie des suppléments utilisés dans le sport amateur doit être réglementée de toute urgence, ne serait-ce que pour éviter la transmission à notre élite sportive du prion responsable de la maladie de Creutzfeldt-Jakob. De la même façon, de nouveaux médias de culture doivent être développés pour les vaccins humains.
- Il serait utopique de demander à tous de devenir végétariens, quoique la santé générale s'en trouverait énormément améliorée[92]. Mais consommer une diète de type méditerranéen, où on retrouve de la volaille, du poisson et de la viande rouge, mais en quantité beaucoup moindre que dans la diète nord-américaine devient un choix évident et acceptable pour la majorité. Nous n'aurions plus besoin des quantités astronomiques de viande produites aujourd'hui et les consommateurs pourraient exiger de manger une viande de meilleure qualité que celle transformée, barattée, gorgée d'eau et d'antibiotiques servie aujourd'hui. L'exemple de l'agriculture biologique est à suivre dans ce cas. Notre santé et notre environnement s'en porteront mieux. Beaucoup mieux.

Chapitre 23

Un peu d'espoir

Les producteurs agricoles savent produire de la qualité. Et c'est un peu le paradoxe de la production animalière et végétale aujourd'hui : d'un côté, on retrouve la production industrielle à grand volume et à faible qualité, dont les méthodes sont dommageables à la santé. De l'autre, on retrouve de plus en plus de petits producteurs qui ont décidé de miser sur la qualité et sur les produits originaux du terroir : lait biologique et bientôt porc « bio », agneau de pré salé de l'île Verte, canard de Barbarie gavé de façon traditionnelle, sanglier et bison d'élevage, lapin, autruche, émeu, légumes traditionnels, rescapés du rouleau compresseur industriel. Et de ce côté, on est bien loin des hippies qui cultivaient trois concombres écologiques : il s'agit de gens bien organisés, qui ont établi des contacts avec les grands chefs cuisiniers et qui leur fournissent directement des aliments frais et sains.

Il est cependant triste que le commun des mortels ne puisse pas goûter à ces extraordinaires produits autrement qu'en allant au restaurant. Il suffit pourtant d'exiger la qualité. Lorsque les consommateurs refuseront de mettre dans leur assiette autre chose que de la qualité, il y aura automatiquement une réponse des producteurs.

Pour cela, les consommateurs doivent avoir le choix. Et, s'ils prennent exemple sur la chenille du Monarque, qui évite les aliments contaminés d'OGM, ils sauront eux aussi choisir le meilleur pour eux.

QUE PEUT-ON FAIRE ?

Certains peuvent être tentés d'agir mais ne savent pas comment. Un des meilleurs moyens consiste à écrire à son député pour qu'il remette au ministre concerné (agriculture, santé et commerce) notre lettre.

Si vous voulez que vos enfants vivent dans un monde où on peut manger sans se demander si on s'empoisonne, vous pouvez vous servir du modèle de lettre que je fournis ici. Nos enfants le méritent bien.

Le________

Monsieur le ministre,

À la suite du désastre de Walkerton où des enfants ont trouvé la mort en raison de la contamination de l'eau potable par la bactérie E Coli 0157 :H7 provenant des élevages bovins autour de cette ville ;

Devant le fait que nous épuisons la nappe phréatique trois fois plus vite qu'elle se renouvelle ;

En raison de la transmission de la résistance aux antibiotiques causée par l'usage quotidien de doses d'antibiotiques dans les méga-élevages et des énormes coûts de santé que cette utilisation engendre ;

Parce que les chercheurs de l'étude de Maastricht sur le vieillissement ont démontré que les gens régulièrement exposés aux pesticides présentaient cinq fois plus de problèmes cognitifs que la moyenne et que le développement de cultivars transgéniques produisant leurs propres pesticides exposera toute la population à d'importantes quantités de pesticides ;

Parce que près de 80% des surfaces consacrées aux

cultivars transgéniques sont consacrées à des plantes développées pour résister aux herbicides ou à des plantes qui produisent leurs propres herbicides;

Parce qu'on commence à peine à mesurer les risques de la recherche transgénique et qu'on constate les dégâts immenses de l'élevage intensif sur la santé humaine et sur l'environnement;

Parce que les techniques d'enrichissement des moulées animales ont causé en Angleterre la maladie de la « vache folle », transmissible aux humains, et que nous utilisons les mêmes techniques que les fermiers anglais;

Tout comme les experts de la British Medical Association l'ont fait pour la recherche transgénique, nous demandons qu'un moratoire soit immédiatement établi sur toute nouvelle recherche transgénique et que les techniques d'élevage industriel soient immédiatement changées pour que cesse le désastre écologique que ces techniques ont engendré.

Signature
Nom
Adresse

D'ici là, à défaut de toujours consommer des aliments biologiques, on peut éviter d'acheter certains fruits et légumes, jugés constamment recouverts de beaucoup plus de pesticides et d'herbicides que les autres par le Consumers Union, un organisme américain de protection des consommateurs.

Les aliments à éviter sont:

- les pêches, les pommes, les courges et les haricots verts des États-Unis;
- les carottes canadiennes et mexicaines;

- les tomates mexicaines ;
- les épinards mexicains et américains ;
- les raisins et les poires américains et chiliens.

Dans le doute, il faut soit peler ces aliments ou les laver avec un savon neutre non toxique (les pesticides se retrouvent en surface des fruits et des légumes). Ce sont des corps cireux ou huileux qui disparaissent lors du lavage avec un savon non toxique.

Et pour conclure...

Obésité affectant plus de 50% de la population, épidémie de diabète de type 2 et d'autres maladies dégénératives, manipulations génétiques, concentration du génome, appauvrissement du patrimoine génétique de la terre, pollution majeure par l'élevage intensif, décès d'enfants secondaires à la contamination de la nappe phréatique, disparition de la forêt tropicale et de l'espoir de créer de nouveaux médicaments... Le « bilan santé » du type d'alimentation nord-américain est peu reluisant.

Il est grand temps d'effectuer un coup de barre majeur et de commencer à respecter nos corps et notre environnement. Un passage rapide vers une alimentation du type méditerranéen s'impose.

Baser notre alimentation sur les fruits et les légumes cultivés dans le respect de l'environnement et consommer des viandes et des poissons de qualité — sans antibiotiques, sans pesticides, sans hormones de croissance... Cela est possible et n'est pas une utopie. Mais nous devons, comme consommateurs, nous réveiller et démontrer clairement que nous exigeons désormais de la qualité.

Si les Européens ont réussi à obtenir du Canada de la viande sans antibiotiques et sans hormones de croissance, les Canadiens peuvent obtenir la même chose.

J'espère sincèrement que mon « passage dans votre assiette » a été utile.

Bonne santé. Et une vie longue et prospère!

François Melançon, MD

Lexique

Acides aminés : blocs de construction des protéines. On les divise en « essentiels », ceux que le corps ne peut synthétiser et doit se procurer dans l'alimentation, et « non essentiels », ceux que le corps peut synthétiser.

Acides gras saturés et insaturés : il s'agit d'une description chimique de structures propres à chaque acide gras. À chaque formule correspondent des propriétés uniques. Tous les acides gras, ou graisses, sont formés tout comme les sucres de carbone, d'hydrogène et d'oxygène. La proportion d'oxygène est plus faible que dans les sucres. Lorsque le corps les « brûle », elles peuvent en fixer proportionnellement plus, ce qui augmente leur pouvoir calorique. Les atomes qui forment une molécule peuvent être reliés entre eux par des liens simples ou doubles. Lorsqu'il y a présence de liens simples, on parle d'**acides gras saturés** et lorsqu'il y a liens doubles, on parle d'**acides gras insaturés**. Les acides gras saturés sont appelés ainsi parce qu'ils ne peuvent plus accepter d'atome d'hydrogène : ils en sont « saturés ». Pour les acides gras insaturés, à une ou plusieurs places, il existe des carbones voisins qui ne portent qu'un seul hydrogène et sont reliés entre eux par un lien double. Lorsqu'on ne retrouve cette structure qu'à une place, on parle d'acide gras **mono-insaturé** et lorsque cette structure se retrouve à plusieurs endroits, on parle d'acide gras **poly-insaturé**. Plus les molécules d'acides gras d'une graisse sont longues et saturées et plus la graisse est solide, indigeste et nuisible pour la santé. Et, qu'il s'agisse d'acides gras saturés ou insaturés, si l'alimentation est trop grasse, les acides gras en excès se combinent dans l'intestin avec le calcium des aliments et empêchent l'absorption de ce calcium.

Acides gras oméga-3 : les acides gras oméga-3 sont un sous-groupe de gras poly-insaturés. Le nom « oméga-3 » réfère à la structure chimique de ces gras. Les études suggèrent maintenant que ces gras contribuent à réduire le risque de maladies cardiaques et d'accidents vasculaires cérébraux en rendant les plaquettes moins « collantes » et en mettant un frein sur la « cascade » (les divers phénomènes biochimiques) de la coagulation du sang. On retrouve ces gras dans les poissons gras comme le thon et le saumon, la truite et le maquereau, et dans les huiles de colza, de soja et de lin.

Acide organique volatile : acide faible produit par un organisme vivant qui s'évapore facilement (volatile). On peut donner en exemple l'acide acétique.

ALENA : accords de libre-échange nord-américain.

Aliments nouveaux : terme utilisé par les gouvernements pour désigner les aliments génétiquement modifiés. Cette appellation très « humble » vise à mêler les consommateurs, qui ne s'y retrouvent plus dans cette nomenclature sans signification. On parle aussi parfois (mais surtout dans les textes spécialisés) d'aliments transgéniques.

Antimutagénique : qui empêche les mutations et la transformation cancéreuse.

Antioxydant : substances contenues dans les fruits et les légumes qui aident le corps à désarmer les radicaux libres, substances créées par la dégradation des structures graisseuses essentielles des membranes cellulaires, causées par les multiples agressions subies par le corps humain chaque jour (pollution, rayonnement ultraviolet...). La dégradation de ces structures graisseuses essentielles relâche un électron, une particule chargée électriquement, plus petite qu'un atome. Cet électron libre (radical libre) se promène partout dans le corps et réagit avec des composants cellulaires, leur causant des dommages variés. Dans le cerveau, les radicaux libres détruisent le délicat réseau de communications entre les cellules cérébrales. Ailleurs, les dommages sont différents : on a impliqué les antioxydants dans le processus de formation de plaques de gras dans les artères, ou athérosclérose. Comme, avec l'âge, les défenses immunitaires perdent en efficacité, ces « maraudeurs » deviennent de plus en plus destructeurs.

Atopie : peut se définir comme la réponse exagérée de type allergique de l'organisme à certains éléments de son environnement.

Biodiversité : se dit de la diversité du matériel génétique. Plus ce matériel est diversifié et plus il est riche. La sélection d'espèces pour l'agriculture intensive, la destruction de la forêt tropicale et les modifications génétiques par la biotechnologie ont pour malheureuse résultante d'appauvrir la biodiversité. La destruction de la forêt tropicale à des fins d'élevage intensif prive d'ailleurs l'humanité de la découverte de nouvelles plantes et potentiellement de formidables médicaments.

Bioflavonoïdes : composés chimiques produits par les plantes.

On en a dénombré plus de 4000. Aux concentrations trouvées dans la nature, ils ont des effets extraordinaires sur la santé humaine: ils maintiennent notamment l'intégrité des vaisseaux sanguins et protègent du cancer. Mais leur usage à des doses élevées peut donner au contraire des résultats désastreux.

Campylobacter: bactérie infectieuse causant de la diarrhée, souvent sanglante.

Catécholamine: protéine produite par le corps dont l'action contrôle notamment le tonus des vaisseaux sanguins.

Choc anaphylactique: choc, d'origine allergique, dans lequel toutes les fonctions vitales s'effondrent.

Cholestérol: nom générique donné à toute une famille de lipoprotéines, une structure formée d'un lipide [un gras] et d'une protéine. Pour les fins de la maladie cardiovasculaire, on ne retiendra que deux de ces lipoprotéines: le cholestérol HDL [High Density Lipoprotein], une lipoprotéine qui protège de la maladie cardiovasculaire et le cholestérol LDL [Low Density Lipoprotein], une lipoprotéine dommageable.

Comorbidité: se dit d'une condition médicale associée à une autre.

Complexe antigène-anticorps: combinaison d'une substance étrangère à l'organisme (un antigène) et d'un des éléments de défense de l'organisme (un anticorps).

Consommation (d'alcool): chaque personne a vis-à-vis de l'alcool une tolérance différente. Les quantités qui peuvent être consommées dépendent de plusieurs variables : le poids, le sexe et l'âge par exemple. La modération pour les femmes se situe à environ un peu plus de la moitié de celle des hommes, en raison de leur corpulence moindre et d'une dégradation plus lente de l'alcool par les enzymes de leur foie. On a défini pour les hommes une consommation modérée au-dessous de 50 g d'alcool par jour, soit au-dessous d'un demi-litre de vin à 12% d'alcool par jour. En verres, cela correspond à 3 à 4 verres de 80 ml par jour pour les hommes et 2 à 3 verres de 80 ml par jour pour les femmes.

Corps cétoniques : déchets organiques produits par le corps lors de la digestion des protéines.

Cultivar : se dit d'une espèce de plante cultivée par l'homme.

DDT : insecticide qui a été utilisé une vingtaine d'années en Amérique du Nord jusqu'à ce qu'on ait découvert qu'il était extrêmement dangereux pour la santé et qu'il se concentrait à chaque étape de la chaîne alimentaire. On l'utilise encore dans les pays du Tiers monde.

Démence vasculaire : condition qui ressemble beaucoup à la démence d'Alzheimer. Son mécanisme d'apparition est différent. Dans le cas de la démence vasculaire, une foule de petits accidents vasculaires cérébraux détruit progressivement les zones du cerveau qui contrôlent les fonctions mentales supérieures et on note l'apparition progressive de la démence, en « marches d'escalier », par opposition à la maladie d'Alzheimer où la perte des fonctions mentales supérieures est plus insidieuse et progressive.

Diabètes (types de) : si le sucre est le carburant de la cellule, l'insuline est la clé qui permet d'ouvrir la serrure du réservoir de carburant de la cellule. Dans le diabète de type 1, il n'y a plus de clé. Dans le diabète de type 2, surtout associé à l'obésité, il y a au contraire une abondance de clés... Ce sont les serrures qui sont « plâtrées » par l'excédent des graisses du corps.

Endothélium : couche interne des vaisseaux sanguins.

Étude randomisée : une étude prospective randomisée est une étude dans laquelle on assigne au hasard un certain nombre de patients à un élément à étudier (médicament, approche diététique, etc.). Un autre groupe de patients est assigné au hasard à un placebo ou à un autre médicament et on observe l'effet du traitement en comparant l'évolution des deux groupes.

Exercice aérobique : exercice qui stimule l'activité cardiovasculaire. On peut citer en exemple la course à pied.

Exercice de résistance : exercice dont le but est d'augmenter la force musculaire et non pas la capacité cardiovasculaire.

Facteur confondant : cause autre que celle que l'on regarde qui peut expliquer les symptômes observés.

Fibrinolyse (favoriser la) : tous les alcools empêchent les plaquettes de coller ensemble et favorisent la dissolution des caillots.

Flavonoïdes ou bioflavonoïdes : substances végétales antioxydantes que la vigne produit pour se défendre contre les agressions, notamment celles des champignons

Glucagon : hormone du métabolisme du sucre, dont l'effet est inverse à celui de l'insuline.

Homocystéine : acide aminé produit lorsque le corps digère des protéines animales. Une grande quantité de cet acide aminé endommage l'intérieur des vaisseaux sanguins et entraîne l'accumulation de plaque qui bouche les vaisseaux et finit par causer les infarctus. Un taux élevé d'homocystéine coïncide avec une déficience en acide folique (vitamine B9) et parfois en vitamines B6 et B12. La bière peut évidemment faire baisser les taux d'homocystéine en fournissant de la B6, mais la consommation quotidienne de légumes verts, de haricots, d'agrumes ou de jus de fruits suffit à fournir à l'organisme les 400 microgrammes d'acide folique nécessaires à l'organisme. Malheureusement, en Amérique du Nord, moins de 5 % de la population suit ce genre de régime.

Iléon terminal : partie terminale du petit intestin. C'est de là qu'on croit que le prion, qui cause la maladie de la vache folle, est absorbé.

IMC ou indice de masse corporelle : formule mettant en rapport le poids et la taille d'un individu.

Index glycémique des aliments : chaque glucide (sucre, complexe ou non) diffère des autres par sa capacité à élever rapidement la glycémie. C'est ce qu'on appelle l'index ou indice glycémique.

Ischémique : se dit d'un état de manque d'oxygène pour les tissus, le plus souvent en relation avec une artère bloquée.

Lactobacille : la bactérie qui sert à fabriquer le yogourt. Noms scientifiques : S. Thermophilus et L. Bulgaricus.

Lactoferrine : forme de fer retrouvée dans le lait maternel mais absente du lait de vache. Cette absence explique en partie l'anémie des bébés nourris dès la naissance avec du lait de vache, inapproprié pour eux.

Lectines : protéines qui se lient aux glucides à la surface des cellules. On en ignore le rôle exact mais un naturopathe a développé un régime totalement déséquilibré et farfelu basé sur la pseudo-existence de fumeuses propriétés qu'il attribue à ces lectines.

Légumes crucifères : légumes de la famille du chou.

Lycopène : antioxydant naturel retrouvé dans certains fruits et légumes.

Macula : partie de l'œil essentielle dans la vision.

Nitrosamines : substance retrouvée dans les viandes transformées et fumées qui causent le cancer.

OGM : organisme génétiquement modifié par la biotechnologie par ajout d'un gène provenant d'une autre espèce. On peut maintenant modifier le matériel génétique de toute espèce, bactérie, plante ou animal en y ajoutant un gène de n'importe quelle espèce.

Organoleptique : se dit de l'effet des substances sur les organes des sens. Un aliment fade et insipide a peu d'effets organoleptiques.

Oxydation: dégradation de composantes du corps humain secondaire à l'action destructrice d'un radical libre d'oxygène. (Voir Radicaux libres).

Pollinisation croisée: « échange » accidentel de pollen et donc de matériel génétique entre des plantes cousines qui partagent un grand nombre de gènes causé par les insectes butineurs ou par le vent. Ce phénomène pourrait disséminer des gènes nouveaux et, par exemple, créer l'apparition de mauvaises herbes résistantes aux herbicides. Effectivement, ce phénomène s'est déjà produit à au moins une occasion; voir le Chapitre 21 sur les OGM.

Polyphénols: les flavonoïdes du vin sont appelés polyphénols dans le jargon de la chimie du vin.

Potentiel athéromateux: potentiel de causer des athéromes, ou blocages de gras, dans les artères, et par le fait même la maladie cardiaque et la maladie vasculaire.

Prion: on sait très peu de choses sur le prion responsable de l'encéphalopathie spongiforme bovine, pas plus que son éventuelle transmission de la viande à l'homme pour causer la maladie de Creutzfeldt-Jakob. On sait que le prion n'est ni un virus ni une bactérie et qu'il ne possède aucun matériel génétique. Il s'agit en fait d'une protéine infectieuse, qui n'est pas détruite dans l'appareil digestif et qui serait absorbée par les ganglions lymphatiques du tube digestif. Pour atteindre le cerveau, le prion remonterait ensuite le long des nerfs ou serait transporté par des cellules du système lymphatique. Les chercheurs ont découvert que notre organisme fabriquait lui aussi des prions, apparents à la surface de nos cellules. Leur fonction demeure inconnue, mais on sait qu'ils ne sont pas pathogènes. Ils peuvent toutefois le devenir si l'organisme est infecté par un prion pathogène.

Produits naturels : ces produits dits « naturels » n'ont trop souvent de naturel que le nom. Dans l'esprit des consommateurs, un produit de source naturelle ne peut être que bon. Peu de gens savent cependant que les fabricants de produits naturels n'ont à respecter aucune norme et qu'on peut encore trop souvent trouver sur le marché des produits parfaitement inefficaces, quand ils ne sont pas carrément dangereux pour la santé.

Promiscuité : se dit d'un état d'extrême proximité, qui entraîne l'absence de toute intimité et un stress intense.

Prostaglandines : substances très actives dans le corps, dérivées des acides gras, présentes dans plusieurs tissus. Certaines ont des effets sur la pression et contrôlent la santé cardiovasculaire, d'autres contrôlent l'état d'inflammation articulaire et d'autres affectent les lipides sanguins.

Radicaux libres : substances créées par la dégradation des structures graisseuses essentielles des membranes cellulaires, causée par les multiples agressions subies par le corps humain chaque jour (pollution, rayonnement ultraviolet...). La dégradation de ces structures graisseuses essentielles relâche un électron, une particule chargée électriquement, plus petite qu'un atome. Cet électron libre (radical libre) se promène partout dans le corps et réagit avec des composants cellulaires, leur causant des dommages variés.

Salmonellose : bactérie infectieuse causant de la diarrhée, souvent sanglante.

Supplément alimentaire : terme poubelle que chacun utilise à sa guise. On retrouve sous cette appellation à peu près n'importe quoi. Certains suppléments sont sérieux et fabriqués selon les normes sévères de l'industrie pharmaceutique. Beaucoup d'autres, malheureusement, promettent la santé en capsule, sans effort, et abusent de la crédulité des gens.

Syndrome cérébral organique : un syndrome cérébral organique est une condition dans laquelle le cerveau d'un individu perd progressivement ce qu'on appelle les fonctions mentales supérieures : mémoire, jugement, capacité d'abstraction... Les deux syndromes cérébraux organiques les plus communs sont la maladie d'Alzheimer et la démence vasculaire, causée par de multiples petites thromboses dans le cerveau.

Tachyphylaxie : état dans lequel le corps a besoin de doses de plus en plus grandes d'une même médication pour en obtenir le même effet.

Transgénique : utilisé comme synonyme de « modifié génétiquement ». Avec encore plus de « pudeur », le gouvernement a choisi de parler « d'aliments nouveaux », pour être bien certain que les consommateurs ne s'y retrouvent plus.

Triglycérides : première forme sous laquelle les acides gras sont absorbés dans le sang à partir de l'intestin. L'hypertriglycéridémie est une condition dans laquelle la consommation de gras ou d'alcool est excessive et il y a élévation importante des triglycérides.

Références

1. *Harvard report on cancer prevention*, vol. 7, Suppl. 1, 1996, p. 7.

2. T. Hollon, « Bioflavonoids : Always Healthy ? Dietary supplements may contribute to infant leukemia », *The Scientist*, vol. 14, no 17, 4 septembre 2000, p. 21.

3. I.K. Smith, « Vitamin overdose : new government recommendations for C and E suggest maybe mother was right after all », *Time Magazine*, 24 avril 2000.

4. E. Ayres, « Will We Still Eat Meat ? », *Time Magazine, canadian edition*, 8 novembre, 1999, p. 72-73.

5. J. McKenzie, « Is Cow's Milk Additive Safe ? », ABCNEWS.com, 15 décembre 2000.

6. E. Giovannucci et coll., « Intake of carotenoïds and retinal in relation to risk of prostate cancer », *Journal of the National Cancer Institute*, vol. 87, 1995, p. 1767-1776.

7. S. Agarwal et coll., « Tomato lycopene and its role in human health and chronic diseases », *Canadian Medical Association Journal*, vol. 163, no 6, 19 septembre 2000, p. 739-744.

8. B. Stavric, « Phytochemicals : first line against disease », *Patient Care Canada*, vol. 7, no 4, avril 1996.

9. B. Stavric, « Antimutagens and anticarcinogens in foods », *Food Chemical Toxicology*, vol. 32, 1994, p. 79-90.

10. J. Anderson, « High Carbohydrate, High Fiber Diet for Insulin Treated Men with Diabetes Mellitus », *American Journal of Clinical Nutrition*, 1979, p. 2312.

11. R.J. Barnard et coll., « Long-Term Use of a High-Complex-Carbohydrate, High-Fiber, Low-Fat diet and Exercise in the Treatment of Non Insulin-Dependant Diabetic patients », *Diabetes Care*, vol. 6, 1983, p. 268; R.J. Barnard et coll., « Response of Non-Insulin-Dependent Diabetic Patients to an Intensive Program of Diet and Exercise », *Diabetes Care*, vol. 5, 1982, p. 370.

12. J. Robbins, *Se nourrir sans faire souffrir*, Montréal, éditions Stanké, 1990, p. 470.

13. T. Wolever et coll., « Lignes directrices de l'approche nutritionnelle du diabète sucré pour le nouveau millénaire: exposé de principes de l'association canadienne du diabète », 1999, p. 16.

14. N. Hijazi et coll., « Diet and childhood asthma in a society in transition: a study in urban and rural Saudi Arabia », *Thorax*, no 55, septembre 2000, p. 775-779.

15. C. Bodner et coll., « Antioxidant intake and adult-onset wheeze: a case-control study », Aberdeen WHEASE Study Group, *European Respirology Journal*, vol. 13, no 1, janvier 1999, p. 22-30.

16. F. Forastiere et coll., « Consumption of fresh fruit rich in vitamin C and wheezing symptoms in children », *Thorax*, vol. 55, avril 2000, p. 283-288 ; C. Tabak et coll., « Dietary factors and pulmonary function : a cross sectional study in middle aged men from three European countries », *Thorax*, vol. 54, 1999, p. 1021-1026.

17. U. Hoppu et coll., « Maternal diet rich in saturated fat during breastfeeding is associated with atopic sensitization of the infant », *European Journal of Clinical Nutrition*, vol. 54, no 9, septembre 2000.

18. K.J. Joshipura et coll., « Fruit and Vegetable Intake in Relation to Risk of Ischemic Stroke », *Journal of the American Medical Association*, vol. 282, 1999, p. 1233.

19. M. Breteler, citée dans « La maladie d'Alzheimer, prévenir à défaut de guérir », *L'Actualité médicale*, 6 septembre 2000, p. 22.

20. G.A. MacGregor, « Nutrition and blood pressure », *Nutrition and Metabolic Cardiovascular Disease*, supplément 4, 9 août 1999, p. 6-15.

21. P. Burckhardt, « L'ostéoporose et la diète - Osteoporose und Ernahrung », *Ther Umsch*, vol. 55, no 11, 5 novembre 1998, p. 712.

22. D.M. Hegsted, « Calcium and osteoporosis », *Journal of Nutrition*, vol. 116, 1986, p. 2316-2319 ; B.J. Abelow et coll., « Cross-cultural association between dietary animal protein and hip fracture : A hypothesis », *Calcified Tissue International*, vol. 50, 1992, p. 14-18.

23. E. Giovannucci, « Calcium and Milk and Prostate Cancer : A Review of the Evidence », *The Prostate Journal*, vol. 1, no 1, 1999, p. 1-7 ; R.P. Heaney, « Thinking straight about calcium », *New England Journal of Medicine*, vol. 328, 1993, p. 503-504.

24. B.E. Nordin et coll., « Nutrition, osteoporosis and aging », *Annals of the New York Academy of Science*, vol. 854, 20 novembre 1998, p. 336-351.

25. D. Jenkins, « High-protein diet Hype — They're popular — but are they healthy », *Packhurst exchange, Nutrition and Diet Digest*, août 2000.

26. F. Parhami et coll., « Atherogenic High Fat Diet Reduces Bone Mineralisation in Mice », *Journal of Bone and Mineral Research*, vol. 16, no 1, janvier 2001, p. 182.

27. R.R. Recker, R.P. Heaney, « The effect of milk supplements on calcium metabolism, bone metabolism, and calcium balance », *American Journal of Clinical Nutrition*, vol. 41, 1985, p. 254-263.

28. H.J. Heller et coll., « Pharmacokinetics of calcium absorption from two calcium supplements », *Journal of Clinical Pharmacology*, vol. 39, no 11, novembre 1999, p. 1151-1154.

29. E.A. Ross et coll., « Lead content of calcium supplements », *Journal of the American Medical Association*, vol. 284, no 11, 20 septembre 2000.

30. *Journal of the American Medical Association*, vol. 272, 1994, p. 1845.

31. *American Journal of Medicine*, vol. 81, no 5B, 1986, p. 36-43 ; *The Lancet*, vol. 2, 1989, p. 519-522.

32. *La Revue du Rhumatisme (version anglaise)*, vol. 62, no 2, 1995, p. 121-126.

33. *Clinical Orthopaedics and Related Research*, vol. 323, p. 81-90.

34. *Journal of Rheumatology*, vol. 19, no 2, 1992.

35. J. MacDougall, *New Food Cures for Arthritis and Osteoporosis*, Baltimore, To your Health, 2000.

36. J. Kjeldsen-Kragh et coll., « Controlled Trial of Fasting and One Year Vegetarian Diet in Rheumatoïd Arthritis », *The Lancet*, vol. 338, no 8772, 12 octobre 1991, p. 899-902.

37. P. Ghadirian, « Épidémiologie de la nutrition et des cancers », présenté au 70e congrès-exposition de l'Association des médecins de langue française du Canada les 15 et 16 octobre 1998 à Montréal.

38. A.L. Cooke, « Follow-up For Colorectal Cancer-Treated Patients », *The Canadian Journal of Diagnosis*, septembre 2000.

39. J. Pillot, cité dans *Les cahiers vin et santé*, 1998.

40. J.L. Richard, « Les facteurs de risques coronariens. Le paradoxe français », *Archives des maladies du cœur et des vaisseaux*, vol. 80, numéro spécial, avril 1987, p. 17-21.

41. S. Renaud, M. de Lorgeril, « Wine, alcohol, platelets, and the french paradox for coronary heart disease », *The Lancet*, vol. 339, 20 juin 1992, p. 1523-1526.

42. P. Chris et coll., « U-shaped relationship for alcohol consumption and health in early adulthood and implications for mortality », *The Lancet*, vol. 352, 1998, p. 877.

43. W.C. Blackwelder, Y. Katsuhiko et coll., « Alcohol and Mortality: The Honolulu Heart Study », *The American Journal of Medicine*, vol. 68, 1980, p. 164-169; S.J. Kittner, R. Costas Jr. et coll., « Alcohol and coronary heart disease in Puerto Rico », *American Journal of Epidemiology*, vol. 117, no 5, 1983, p. 538-550; E.B. Rimm, E.L. Giovannucci, W.C. Willet et coll., « Prospective study of alcohol consumption and risk of coronary disease in men », *The Lancet*, vol. 338, 24 août 1991; P.A. Sherr, A.Z. LaCroix, R.B. Wallace et coll., « Light to moderate alcohol consumption and mortality in elderly », *Journal of the American Geriatrics Society*, vol. 40, 1992, p. 651-657; L.O. De Labry, R.J. Glynn, M.R. Levenson et coll., « Alcohol consumption and mortality in an American male population: Recovering the U-shaped curve-. Finding from the Normative Aging Study », *Journal of Studies on Alcohol*, vol. 53, no 1, 1992, p. 25-32; R. Shinton, G. Sagar, G. Beevers, « The relation of alcohol consumption to cardiovascular risk factors and stroke. The West Birmingham stroke project », *Journal of Neurology, Neurosurgery and Psychiatry*, vol. 56, 1993, p. 458-462.

44. H.A. Cooper et coll., « Light-to-moderate alcohol consumption and prognosis in patients with left ventricular systolic dysfunction », *Journal of the American College of Cardiology*, vol. 35, juin 2000, p. 1753-1759.

45. I. Huot, « Les vertus cachées de la vigne », *L'Actualité médicale*, 13 septembre 2000, p. 70-71.

46. B. Stavric, « Quercetin in our diet: From potent mutagen to probable anticarcinogen », *Clinical Biochemistry*, vol. 27, 1994, p. 245-248.

47. J.D. Folts, PhD, directeur du Coronary Artery Thrombosis Research and Prevention Laboratory de l'Université du Wisconsin.

48. S. Biali, « In praise of omega-3 fatty acids », *The Medical Post Nutrition Factor*, 27 février 2001.

49. Il s'agit de l'étude DART (Diet And Reinfarction Study).

50. K. Taggart, « Veggies and grains help lower stroke risk », *The Medical Post Nutrition Factor*, 7 novembre 2000.

51. E.J. Hawrylewicz, cité dans *Discover*, vol. 21, no 8, août 2000.

52. S.J. London et coll., « Isothiocyanates, glutathione S-transferase M1 and T1 polymorphisms, and lung cancer risk : A prospective study of men in Shangai, China », *The Lancet*, vol. 356, 26 août 2000, p. 724-729.

53. S. Nobaek et coll., « Alteration of intestinal microflora is associated with reduction in abdominal bloating and pain in patients with irritable bowel syndrome », *American Journal of Gastroenterology*, vol. 95, mai 2000, p. 1231-1238.

54. J. Saavedra, R. Clemens, « Nutritional and Therapeutic Effects of probiotics in the Paediatric Population », *Paediatrics Child Health*, vol. 5, no 6, septembre 2000.

55. G.W. Ross et coll., « Association of coffee and caffeine intake with the risk of Parkinson's disease », *Journal of the American Medical Association*, vol. 283, 24 au 31 mai 2000, p. 2674-2679.

56. B. Stavrick, « Of radicals and scavengers : How antioxidants work », *Patient Care Canada*, vol. 7, no 4, avril 1996.

57. D.A. Schatz, « Diabetes prevention trial - type 1 (DPT-1) : rationale and update » [Concurrent session : Prevention of type 1 diabetes], 59th Annual Scientific Sessions of ADA, San Diego, CA, 1999 ; H.A. Äkerblom, « Prevention trials in Finland » [Concurrent session : Prevention of type 1 diabetes], 59th Annual Scientific Sessions of ADA, San Diego, CA, 1999.

58. W. Hivley, « Worrying about milk », *Discover*, vol. 21, no 8, août 2000.

59. *Internal Medicine World Report*, juin 2000, p. 27.

60. *Cancer Epidemiologic Biomarkers Previews*, vol. 9, 2000, p. 95-101.

61. *Obstetrics and Gynecology*, vol. 63, 1984, p. 833-838.

62. Comité scientifique de révision, *Recommandations sur la nutrition*, Santé et Bien-être social Canada, 1990, Ottawa.

63. L.J. Appel, « Effect of Dietary Patterns on Serum Homocysteine Results of a Randomized, Controlled Feeding Study », *Circulation*, vol. 102, 2000, p. 852.

64. Adapté de D. Jenkins, « Neglected nuts — the forbidden food makes a comeback », *Parkhurst Exchange, Nutrition and Diet Digest*, novembre 2000.

65. Il s'agit d'une étude de Gary Fraser et de ses collègues sur un groupe de 34 000 Adventistes du septième jour. Cette étude a été confirmée par une étude sur 34 000 femmes en Iowa et par les *Nurses Health Study* et *Physicians Study* qui ont étudié respectivement 86 000 femmes et 22 000 hommes.

66. C.A. DeSouza et coll., « Regular aerobic exercise prevents and restores age-related declines in endothelium-dependant vasodilatation in healthy men », *Circulation*, vol. 102, 19 septembre 2000, p. 1351-1357.

67. R.J. Solol, « The chronic disease of childhood obesity : The sleeping giant has awakened », *Journal of Pediatrics*, vol. 136, juin 2000, p. 711-713.

68. Il s'agit de l'étude de Framingham, dirigée par le docteur William Castelli, réalisée dans une banlieue de Boston et de l'étude Build de 1979.

69. R. Garrel, *Question de maigrir*, Montréal, Jacques Beaulieu éditeur, 2000.

70. Comité des traitements de l'obésité, « Je mange donc je maigris : résumé de lecture », Ordre professionnel des diététistes du Québec, 1995.

71. Guyton & Hall, *Textbook of Medical Physiology*, 9e édition, Saunders, « Protein Metabolism - chapitre 69 », page 881.

72. D. Jenkins, « High-protein diet Hype — They're popular — but are they healthy ? », *Packhurst Exchange, Nutrition and Diet Digest*, août 2000.

73. Adapté de S.M. Krake, « Exercise Prescription as an Adjunct to Weight Loss in Obesity », *The Canadian Journal of Continuous Medical Education*, septembre 2000, p. 187-195.

74. P. Mooney, directeur de la Fondation Internationale pour l'essor rural.

75. Tiré et adapté de Ohioline GMO from the Ohio State University, College of Food, Agricultural and Environmental Sciences, disponible à l'adresse URL : http ://ohioline.ag.ohio-state.edu/gmo/faq.html

76. *Idem.*

77. M.P.J. Bosma, R.W. van Boxtel et coll., « Pesticide exposure and risk of mild cognitive dysfunction », *The Lancet*, vol. 356, no 9233, 9 septembre 2000.

78. Tiré d'une entrevue que le docteur Parviz Ghadirian, directeur de l'Unité de recherche en épidémiologie du Centre Hospitalier de l'Université de Montréal, accordait à une journaliste du magazine *Châtelaine.*

79. Adapté de Dr C. Kousmine, *Soyez bien dans votre assiette jusqu'à 80 ans et plus*, éditions Primeur Sand, Montréal, 1985, p. 219.

80. A. Nikiforuk, « De l'eau pure à l'eau purin », *L'Actualité*, 15 septembre 2000.

81. Statistiques tirées de B. Kermode-Scott, « Feedlot fear », *The Medical Post*, 26 septembre 2000, p. 35-36.

82. Données tirées de A. Nikiforuk, « De l'eau pure à l'eau purin », *L'Actualité*, 15 septembre 2000.

83. US Office Of Technology Assesment, *Impacts of antibiotic resistant bacteria*, chapitres 1, 2, 7, Washington, US Government Printing Office, 1995 ; S.B. Levy, *The antibiotic paradox. How miracle drugs are destroying the miracle*, New York, Plenum Press, 1992.

84. G.G. Khatchatourians, « Use of antibiotics in agriculture », *Canadian Medical Association Journal*, vol. 159, 1998, p. 1129-1136.

85. H.P. Endtz, « Quinolone resistance in Campylobacter isolated from man and poultry following the introduction of fluoroquinolones in veterinary medicine », *Journal of Antimicrobiology Chemotherapy*, vol. 27, 1991, p. 199-208.

86. M.L. Moinet, « Vache folle : le pire est à venir », *Science et vie*, no 996, septembre 2000.

87. « Deaths in Britain renew fear of BSE, vCJD link », *The Medical Post international news*, 14 novembre 2000.

88. M.M. Robinson, W.J. Hadlow, T.P. Huff et coll., « Experimental infection of mink with bovine spongiform encephalopathy », *Journal of General Virology*, vol. 75, 1994, p. 2151-2155 ; R.F. Marsh, *Bovine spongiform encephalopathy : a new disease of cattle ?*, *Archives of Virology*, no 7 (suppl), 1993, p. 255-259.

89. R.F. Marsh, R.A. Bessen, « Epidemiologic and experimental studies on transmissible mink encephalopathy », *Developments in Biology Standards*, vol. 80, 1993, p. 111-118.

90. C. Clements, « A mad policy on mad cows », *The Medical Post Opinions*, 6 mars 2001.

91. R.C. Holman, A.S. Khan, J. Kent, T.W. Strine, L.B. Schonberger, « Epidemiology of Creutzfeldt-Jakob disease in the United States, 1979-1990 : analysis of national mortality data », *Neuroepidemiology*, vol. 14, 1995, p. 174-181.

92. M. Segasothy, P.A. Phillips, « Vegetarian Diet : panacea for modern lifestyle diseases ? », *Journal of Medicine*, vol. 92, 1999, p. 531-544.

Annexe

PRISE DE POSITION DE LA BRITISH MEDICAL ASSOCIATION CONCERNANT LES ORGANISMES GÉNÉTIQUEMENT MODIFIÉS

Traduction libre

Le 18 mai 1999

Pour diffusion immédiate dans les bureaux de presse et les correspondants de presse couvrant les sujets de science et de santé.

On nous a informés d'une faille importante dans l'embargo que nous avions imposé au sujet de notre texte concernant les organismes génétiquement modifiés. Nous devons reconnaître que ce document est maintenant du domaine public. Nous levons par conséquent l'embargo sur ce document qui est maintenant disponible. Nous attachons à la présente un communiqué de presse.

L'introduction et les recommandations seront bientôt disponibles sur notre site web. Le texte complet est disponible sur demande de notre bureau de presse. Notre communiqué de presse aura lieu à partir de 11 h mardi le 18 mai 1999 pour permettre de répondre aux questions de la presse.

Le 17 mai 1999

Le British Medical Association demande un moratoire limité dans le temps sur l'utilisation commerciale en agriculture des organismes génétiquement modifiés.

Dans ce qui est la première prise de position d'une association médicale importante, la British Medical Association affirme aujourd'hui qu'il devrait y avoir un moratoire sur l'utilisation commerciale en agriculture des organismes génétiquement modifiés jusqu'à ce qu'il y ait consensus scientifique sur leurs effets à long terme sur l'environnement.

Ce rapport de la British Medical Association, *The Impact of Genetic Modification on Agriculture, Food and Health* (L'impact de la modification génétique sur l'agriculture, la nutrition et la santé), prévient que les effets négatifs des OGM risquent d'être irréversibles. Comme nous ne savons pas encore s'il y a ou non un risque de dommage sérieux à l'environnement ou à la santé humaine, le principe de précaution devrait prévaloir.

Ce rapport est un texte intérimaire qui sera révisé au fur et à mesure de l'arrivée de preuves scientifiques. Le rapport passe en revue les évidences disponibles sur les OGM dans la chaîne alimentaire, les techniques de contrôle, les précautions environnementales et les risques à la santé publique. La British Medical Association craint qu'à moins qu'on augmente de façon importante la confiance du public dans les cultivars et les nourritures transgéniques, il y a un danger significatif que les progrès médicaux biotechnologiques soient rejetés par ce même public, à un coût important pour le progrès médical.

Le rapport contient 19 recommandations, qui incluent les suivantes :

- il devrait y avoir un moratoire limité dans le temps sur l'utilisation commerciale en agriculture des OGM jusqu'à ce qu'on établisse un consensus scientifique sur leur sécurité ;
- on ne devrait « relâcher » dans l'environnement des OGM que lorsque le niveau de certitude scientifique rendra ce geste acceptable ;

- on devrait bannir l'utilisation des gènes marqueurs de la résistance aux antibiotiques puisque la résistance aux antibiotiques est un des risques les plus importants à la santé humaine du XXIe siècle;
- on devrait immédiatement créer une agence de régulation de la nourriture et lui donner des pouvoirs statutaires pour contrôler la production d'OGM;
- on devrait séparer à la source les aliments génétiquement modifiés pour permettre de retracer l'aliment coupable s'il y avait problème et l'agence de régulation de la nourriture devrait considérer bannir les aliments comprenant à la fois des aliments dont le patrimoine génétique est naturel et des aliments modifiés génétiquement. À défaut de cela, l'agence devrait insister pour que ces produits et ces aliments soient clairement identifiés;
- à cause du risque de pollinisation croisée, les distances standard qui séparent les cultivars génétiquement modifiés des autres devraient être réévaluées;
- la recherche scientifique doit se pencher sur le problème des réactions allergiques aux organismes génétiquement modifiés, sur la chaîne alimentaire et sur le sort de l'ADN modifié génétiquement;
- le gouvernement du Royaume-Uni doit promouvoir une révision de l'accord sur le commerce mondial de façon à s'assurer que ce soient les gouvernements souverains plutôt que les entreprises qui décident de la restriction des marchés à l'importation des aliments et des semences transgéniques.

Dans un commentaire sur le rapport, sir William Asscher, président du comité sur la science et l'éducation de la British Medical Association affirme: « Une fois ouverte la boîte de pandore du génie génétique, l'impact sur l'environnement risque d'être irréversible. C'est la raison pour laquelle le principe de précaution est si important ici. Il s'agit d'un sujet encore plus sérieux que celui de la licence des médicaments qu'on peut retirer du marché si nécessaire. C'est pourquoi la British Medical Association demande avec insistance un moratoire limité dans le temps jusqu'à ce qu'on ait beaucoup plus de certitudes scientifiques concernant les risques et les bénéfices potentiels des OGM. »

Dre Vivienne Nathanson, directrice de la section sur les politiques de santé et la recherche de la British Medical Association affirme que : « ...La résistance aux antibiotiques, la menace de nouvelles réactions allergiques et les risques encore inconnus de l'ADN modifié génétiquement obligent à ce que, simplement pour des considérations de santé, l'impact des OGM doive être complètement vérifié avant que ces plantes ne soient relâchées dans l'environnement. Les implications environnementales et par conséquent les effets à long terme sur la santé humaine ne peuvent être prédits de façon sécuritaire dans l'état actuel de nos connaissances et le principe de précaution doit prévaloir. »

Ce rapport de la British Medical Association, *The Impact of Genetic Modification on Agriculture, Food and Health*, sera disponible [en anglais seulement – note du traducteur] auprès de le la British Medical Association au coût de 5,95£ (cela incluant les frais de poste et de manutention).